AN

AMHEUS O ANGYLION

Aled Lewis Evans

Cyhoeddiadau Barddas
2011

Argraffiad cyntaf: 2011

ISBN 978-1-906396-45-9

Cyhoeddwyd gyda chymorth ariannol
Cyngor Llyfrau Cymru.

Cyhoeddwyd gan Gyhoeddiadau Barddas

Argraffwyd gan Wasg Dinefwr, Llandybïe

Cyflwyniad

Hyfrydwch yw cael cyhoeddi cyfrol newydd o gerddi ar achlysur Eisteddfod Genedlaethol Wrecsam a'r Fro, 2011. Diolch, fel bob amser, i Alan Llwyd am ei anogaeth allweddol a'i barodrwydd i gyhoeddi fy ngwaith, ac i Dafydd Llwyd am ddylunio'r clawr. Ymddangosodd rhai o'r cerddi yn *Barddas*, *Y Goleuad*, a'r *Clawdd*, a lluniwyd rhai ohonynt ar gyfer yr Arddangosfa Gelf a Chrefft yn Eisteddfod Genedlaethol Sir y Fflint 2007.

Cynnwys

Amheus o Angylion

Parchedig ofn at ddelwau gorwyn,
y stryd fawr yn rhuthr y siopa Nadolig.
Rhai'n gweld y cyfan yn jôc, nid gogoniant –
y meidrolionòd yn meimio bod yn angylion.
Pobl yn ystyried, yna eu gwrthod,
gwneud arwydd gorffwyll y tu ôl
i'w plu gwyn.
Rhai'n wfftio atynt yn llwyr!

Ambell un yn cael ei herio
gan dawelwch y cerfluniau dynol claerwyn
ynghanol y ras am Marks a BHS,
am Ddôl yr Eryrod.

'Sneb yn siŵr beth i'w wneud efo angylion
yn yr oes hon.

Plant a henoed yw'r mwyaf parod
i'w derbyn, a chynnig iddynt geiniog.
Celf fodern wedi mynd yn rhemp i'r rhelyw!

Ond i rywrai ohonom o hyd
wele Angel yr Arglwydd
yn ceisio ein hargyhoeddi:
"Peidiwch ag ofni,"
ac yn cyhoeddi newydd da o lawenydd mawr i'r holl bobl.

Dydi pobl ddim am wrando
ar angylion bellach;
maent mor hynod o amheus o siffrwd eu hadenydd
a Gogoniant yn y Goruchaf.

Golygu

Paid â golygu dy hunan,
gad iddyn nhw gael y fersiwn llawn,
cyn y drafftio a'r taflu, y Cysill a'r cymhennu.

Gad iddyn nhw gael yr hen 'ti' diatal
heb yr atalnodi,
a'r iaith wedi'i gwirio.

Stopia dy olygu dy hun,
gad iddyn nhw weld y cleisio a'r clwyfo.

Croeso i Eisteddfod Genedlaethol Wrecsam a'r Fro, 2011

(Anerchiad barddol Seremoni'r Cyhoeddi)

Mae 'na un yn y dorf heddiw
yn dweud ei fod o'n dy gofio yn yr ysgol,
cofio'r cês cyn y difrifoli,
dy gofio
ar ôl blynyddoedd ynghanol y lli ar y ffin.

Ynys heddiw a ddaeth i'r dyrfa yn ôl.

O'r Terfyn, o Bengwern, o Geiriog, o'r Cloddiau,
cyfeillgarwch annisgwyl yn dy gyfarch,
derbyniad sy'n dweud mai yma yw 'adre'.

O bentrefi'r llethrau a'r gwaelodion
clyw iaith sy'n denu eraill ati;
clyw ganu fel mae'r Rhos yn gallu!
Croeso Maelor yn lapio'n dynn,
yn y gogledd-ddwyrain hwn.

Ac o Ddyfrdwy, Clywedog,
Alun, Gwenfro ein dyddiau,
daw dyhead i gyfrannu eto.
Fel eog yn dychwelyd i fyny afon Alun
neu'r glas y dorlan drachefn ar y Gwenfro,
fel brithyll yn nyfroedd clir Cedigog,
fel fflach wyrddlas yr heniaith,
dan hen bontydd Clywedog.

Gwêl ruddin y priddfaen coch;
gwêl ddiwylliant a thafodiaith pwll glo,
a blaengaredd pob terfyn newydd
yn ein gogledd-ddwyrain ni.

Fel cresiendo torf y Cae Ras ar awyr nos y dre,
clyw fonllef y Croeso
o'r Nant i'r Ffrwd,
o'r Talwrn hyd y Bers,
yr Ochor Ddu hyd y Gwynfryn,
o Gaer Estyn hyd Fangor-is-y-coed;
o Stryt y Bydden i Stryt yr Hwch,
o Fryn y Pys i'r Hobin Cast,
o Nant y Gaer hyd Faen Gwynedd.

Mae'r un yn y dorf yn griw bellach,
a'r Brifwyl yn ein clymu'n dynnach.

Anhysbys yn Ardudwy

Yn yr archfarchnad newydd
pan brynwch bapur bro,
daw i fyny ar y sgrin ddiweddara
fel *Unknown*
gan greu'r fath wep slapiedig
ar wyneb y ferch newydd o Ganoldir Lloegr
â'i hewinedd ffug du,
am i chi feiddio dod â *Llais Ardudwy* at y til.

Unknown.

Dim Mari'r Golau, Morgan Llwyd,
dim Meirion Williams,
na blodau ger ei ddrws,
dim Bardd Cwsg na Salem a'i siôl,
dim Ysgethin na Salmau Cân,
dim Llanfihangel-y-traethau.

Llandanwg

Fe'u claddwyd a'u gwarchod
gan dywod yma,
fel bod cerrig o gyfnod Siôn Phylip a foddodd
yno'n glir.
Fel llwch Pompei bu'r tywod yn diogelu
a dal ei dafod,
ers crwydro hen seintiau.

'Gwely ango
yw'r ddaearglo:
yma'n huno – y mae heno.'

Heno mae'r gwynt
yn dartio gronynnau at hen ysgrifen,
y tywod miniog,
pridd i'r pridd,
yn dal i hogi cofadail ein henwau
a'n hymdrechion;
yn dal ati i drywanu'r garreg â'i siffrwd,
curo ar ddôr
lle nad yw'r deiliad yno mwyach.

Taith

(*Pen draw'r Promenâd yn y Bermo*)

Mae'r sêr fel petaen nhw'n nes yma,
tragwyddoldeb o fewn hyd braich
ac ar hwyrnos o Ebrill
cei'r gornel fach hon o'r byd
i ti dy hun a'th Dduw.
Llŷn yn fwclis llai dan yr wybren serog,
a chysondeb y tonnau.

Ac yma y dymunaf wasgar fy llwch.

Mae'r olygfa yma'n gweddu,
popeth sy'n golygu rhywbeth i mi
rywsut yn pefrio ar noson fel heno,
a chysondeb y tonnau yn llenwi'r bylchau.
Gwasgar ar lanw uchel haf,
neu yn rhyferthwy gaeaf
ynghanol y bywyd a fydd yn parhau –
wn i ddim p'run y bydd hi,
ond caf fod yn un eto efo'r hyn
a oedd yma yn fy nechreuad.

Gobeithio y bydd ymadael fel hyn,
ar lanw oesol
sy'n llyfu glannau pellennig newydd,
a goglais yr allwedd i gysondeb y tonnau.

Mewn Lle Arall

(*Yn ymyl cerfluniau Anthony Gormley,* Another Place,
wrth geg afon Merswy)

Dim ond un arall o'r delwau oer a chaled oeddet ti,
yn bwdr y tu mewn.

Fe gest ti gyfle i fod yn gynnes,
i dderbyn y llanw,
ond wnest ti ddim ond sefyll yno fel delw
a throi'n oerach o hyd.

Roeddwn i wedi meddwl
fy mod i mewn Lle Arall efo ti,
bod tipyn mwy o deimlad
na thon yn taro metel gwag,
tipyn mwy o galon.

Ond mewn gwirionedd roeddet ti'n waeth.
O leia' fe arhosodd y ffigurau i forio'r llanw
a magu rhwd wrth oddef trai.

Nid mynd fel ti.

Ond dyna fo,
dim byd na all awel y Ferswy ei olchi'n lân.

Plicio Oren

Y bysedd bach heb ewinedd
yn crafu at y byw.
Croen mor galed ar yr oren.
"Beth am ei frathu gyntaf?"
cynghorais.

Gwgodd wrth feddwl am y surni.
"Does gen i ddim ewinedd,"
meddai'r bwndel bach annwyl
a ddeuai i'r grŵp te a gweithgareddau
am egwyl o'i sefyllfa gartref.

"Beth am gyllell i hollti'r oren?"
Ond erbyn i mi sylwi eto
roedd y bychan diewinedd
wedi crafu'r croen caled ymaith
at y ffrwyth melys oddi tano.

Wedi dysgu'n gynnar iawn
sut i grafu'r croen caletaf oddi ar y suraf o brofiadau,
a chanfod gronyn o felyster
oddi mewn.

Adfer

Y *Goth* â'r llais bach
sy'n cnoi ei hewinedd i'r byw.
Y ferch o Malpas
a aeth i ysgol Esgob Heber,
sy'n cofio dysgu pytiau o Gymraeg yn Sandycroft.
Bellach daeth 'nôl i Lannau Dyfrdwy,
a'r cariad yn byw yng Nghaer.
Ar ôl bod yn y Ganolfan Sglefrio
mae hi wedi syrffedu gweld hen bont rheilffordd Shotton.

Ond mae hi isio dysgu cystrawennu'r Gymraeg.
Isio fo gymaint yn y dosbarth nos
nes bod y *Goth* anwylaf yn f'argyhoeddi'n llwyr
fod dyfodol y Gymraeg ymhobman,
yn goglais breuddwydion
o gilfachau duon, tamp,
dan bont rheilffordd Shotton.

Gweplyfr

"*So* neis i glywed wrthoch,
dwi wedi bod yn gweithio'n *really* galed.
Defo, rhaid i ni gael paned a *chat*
pan fydda i'n ôl yn Wrexham."

Fi ddim wir yn boddyrd am hen ffrindiau.

"Heb wedi dy gweld ers byth.
Mae fy meddylion gyda ti.
See you dros y Pasg.
You still iawn *about that*?
I'm still wedi blino."

"Fi gyda *loads* o bethau i wneud *anyway*."

"V yn y *library* 'fyd yn bennu off dis v.
V gorfod hando fe mewn heddi.
Gd luck 'da bywyd ti."

Fi'n hoffi defnyddio Cymraeg fi ar Facebook.

Damwain

Uned arbennig yr heddlu
wrth y dafarn,
ger yr afon.

Yr heddlu â'u cŵn yn cribinio'r
gwrychoedd.

Galar y tu hwnt i alar
i rieni heb atebion.

A cholli'r bachgen
a siaradodd am y tro olaf efo'r ffôn symudol,
wedi noson feddwol.

Mor fynych y diflanna pobl oddi ar wyneb daear,
ac i'r ifanc hwn
doedd galwad olaf ar ffôn symudol
ddim yn ddigon.

Rhyw dristwch du
yn mynnu trywanu ei fyd.

Lee oedd ei enw, os cofiwch,
y llanc a ddiflannodd
yn oriau mân un Sadwrn meddwol.
Rhewodd i farwolaeth
ar ochr ein lôn chwim.

Lee oedd yr enw.

Aduniad

(*yn y Gath Dew, Wrecsam*)

Ddeng mlynedd wedyn
pybcrol o sudd afal,
dŵr bywiol a Diet Coke
o amgylch rhai o lecynnau maboed y ffin
iddyn nhw ac i finnau.

O'r Fat Cat newydd, chwaethus
i'r Golden Lion digyfnewid yn y cof.
Ac ar ein taith,
o'r tu ôl i'r addurniadau Nadolig
plycio atgofion am hwyl yr ysgol,
gwallgofrwydd hel gwaith cwrs,
athrawon a'u mympwyon,
troeon trwstan
yn y wlad honno sy'n dragwyddol,
am i ni fod yno unwaith gyda'n gilydd.

Gweld yr hyn a fu
o ongl wahanol.
Gweld yr oedolyn
yn löyn byw o'r crysalis bellach,
yn hyderus,
ond eto efo arlliw cragen ddoe.

Addo gwneud hyn eto
Nadolig nesaf.
"Wel, mi adawa i chi'ch tair fynd rŵan er mwyn i chi
gael sgwrsio go iawn . . ."

Ac wedi'r cofio,
y munud dwi'n troi fy llygaid,

mae'r tair wedi dianc am glwb nos Liquid
fel tair o genod direidus y coridorau erstalwm.

Y tair annwyl hyn
yn ferched ysgol drachefn,
a minnau eto'n Syr.

Casgen Glec

Mae o'r cnonyn, wrth ei fodd
efo'r casgenni clec
a deflir ar balmant y dref.
Y gwreichion sy'n rhoi braw i hen wragedd
tra bydd ef a'i ffrindiau'n nadreddu drwy'r dorf siopwyr.
Ei ddicter a'i lid yn clecian isio sylw,
heb ofni pwy sy'n cael brathiad.

Fel sbarc sydyn y gwreichion
mae ei feddyliau a'i obeithion
yn gybolfa o gasgenni clec
rhwng Mam a'i phartner,
Dad a fu farw'n sydyn,
a thaid yn yr Alban –
yr unig un a allai ei drin.

Ac yno yn y dosbarth
mae'n union fel casgen glec a deflir,
yn llond llaw o ffrwydradau,
yn aflonyddu ar bawb
o artaith ei gadair.

Yn union fel y cleciadau
mae'n eu taflu'n afradlon ar stryd y dref.

Diwrnod Ymadael â'r Ysgol

Yn fore fe est ti allan
yn dy grys gwyn newydd,
yn barod i gefnu'n swyddogol
ar gaethiwed ysgol.
Ac fe ddisgleiriai'r haul.

Heno fe ddoi di'n ôl
efo ysgrifen ar y crys gwyn
yn llawn addewidion o gariad bythol,
mor sicr â'r arogl seidr arnat
wedi'r dathliad wrth yr afon yn y parc.

Ysgrifen rhyddid a gwrthryfel
na fydd yn golchi o'r defnydd.
Bydd rhai yn cadw'r crys, rhai'n ei daflu.

Yfory darllenir yr ysgrifen ddi-droi'n-ôl ar y crys gwyn,
heb sylweddoli, o gau drws ar y carchar,
fod llwybr mwy arswydus
yn arwain o'r fan hyn.

X

Ildio

Dy gofio di yn yr ysgol,
yr hogyn drwg,
yr un a âi allan o'i ffordd i fod yn groes,
a allai ateb 'nôl mor glinigol
oer a dideimlad,
dim ond bod gennyt
y llygaid glas hardd, mwyaf annwyl
a ddywedai stori arall.
'*Shit happens*' oedd d'arwyddair
ond ni allwn fyth ddigio'n llwyr
er i ti bregethu ar un papur arholiad
pa mor wirion oedd y cwestiwn
a'r pwnc, yn lle ateb y dasg.
Afradu dy ddawn.

Clywed wedyn
fod y bachgen a gerddodd
ffin amynedd sawl athro
wedi mynd i grwydro byd
yn enw amddiffyn ffiniau a rhyddid Irác.

Yna,
mewn darlleniad barddoniaeth
digwyddais droi fy mhen
a chael fy nghyfarch eto
yn llawer caredicach ganddo.
Canfod y bloesgni wedi meddalu,
a'r llygaid glas wedi ildio
i'r farddoniaeth ynddynt.

Un

(*Leah Betts*)

Un ergyd,
un gwyro oddi ar y llwybr cul,
pilsen Ecstasi farwol
a ddrylliodd dy harddwch ifanc
brau
yn chwildrins
ar noson dy barti deunaw.

"Dim mwy o dripiau ysgol."

Ond daeth cryfder i galon rhieni
o'i cholli cynnar,
wrth ymweld ag ysgolion a cholegau
yn sôn
am yr un bilsen honno
a newidiodd eu bywydau am byth.

Maddeuant

(*Eisteddfod Gydwladol Llangollen*)

Yn seiniau rhai o'r côr plant
pontir y byd,
yn flodau a gwenau gwâr,
yn harmoni dyrys, cymhleth.

Ceisiaf esbonio mai dyma'r adeg i estyn llaw
mewn maddeuant parod;
ni chawsom ein creu i wrthdaro.

Yma, ynghanol gŵyl o gân a blodau,
hwn yw'r lle i estyn llaw a chael derbyniad.
Y croen yn grasboeth o faddeuant cynnes,
y mendio sy'n twymo'r tu mewn
fel dyfodiad yr Ysbryd,
fel ysgafnder diwedd rhyfel,
yn iacháu'r holl gorff.

Hen elyn eto'n ffrind.

"*Yeah, wareva ya say . . .*"

Mêcofyr i Syr

Pa fêcofyr sydd i athrawon
heibio eu sel bai dêt?
Extreme Makeover amdani,
fel na fydd fy ffrindiau yn fy nabod
pan ddo' i lawr y grisiau hud
i fonllef croeso'r dorf.

Fyddwch chi ddim yn fy nabod tro nesa
y dof i gyflenwi
(os oes 'na waith cyflenwi ar ôl);
fydda i 'di cael nip a tyc
a botocs.
Wedi wyneb-esgyniad
bydd pob llinell wedi'i lliniaru.
Byddwch yn dyfalu fy oed,
ac yn tybio pa hylif a ddefnyddiaf
i atal crebachiad y croen?

Pan welwch chi fi y tro nesa
wedi'r *liposuction*, a'r trwyn wedi ei helaethu,
a lliw 'nôl yn fy ngwallt,
byddwch yn cael eich dysgu gan Enrique Iglesias.
"Heddiw, Mathew, dwi'n mynd i fod yn . . .
Peter Andre â'i bac o chwech . . ."

Ond na, heddiw dwi'n gorfod bod
yn Athro Mathemateg,
ac yn gorfod delio efo criw nad oes ganddynt
eu llyfrau na'u taflenni,
nad ydynt yn deall dim am ffigurau na fformiwlâu
fel fi.
Rhaid i mi fodloni heddiw, Mathew . . .
ar fod yn ffaeledig, fethedig 'fi fy hun'.

Be Ti Fel, Syr?

Ni'n cael bad press, ni yn,
yma ar y ffin.
Mae'r puryddion iaith actually
yn poen yn y tin.
Be 'dan nhw ddim yn sylweddoli, like,
ydy mai fi a fy mates sy' yma ar y front line.
Without us
there'd be no Fro Gymraeg.

Dwi'n cofio geiriau'r athro wythnos dwetha,
dwi'n gallu mynd â fo i'r Cwrt actually.
"Ma ysgol yn grêt heb y plant," medde fo.
"Wyt ti'n Sub Syr neu Llawn Syr?" medda fi.
"Sub," medde fo.
"Ydy amnesia ti wedi mynd yn rhy gormod?
'Na i betio ti tenner bod ti wedi deud
bod ti isio ysgol heb blant.
That's a sheer impossibility,
mae'n rhaid cael angylion bach fel fi.
Be ti fel, Syr?

Ddaru fi ond deud bod athrawon subs ddim yn proper teachers,
If you can't take that,
wel, dyna bai ti!

I ddechrau ddaru pen fi redeg allan.
"O i le?" medde fo, "Blackpool?"
"Yeah, my pìn ysgrifennu legged it on holiday."
Wedyn dyma fi'n gofyn yn ddigon diniwed:
"Pam ni ddim yn cael ace films yn Cyfryngau?
Pam gawn ni ddim gwylio'r ffilm
am yr alien yn byrstio allan o'r bol,
ddim *The Importance of Being Earnest*, neu ryw hen lol?"
Cwbl wnes i o'i le wedyn oedd dweud un o'r hen benillion:

'Mary had a little lamb,
it was a little bugger;
it sat on all the tables
and farted in the sugar.'
Dwi'n gwybod doedd o ddim y lle i sôn am
Gwyddoniaeth, like,
ond roedden ni'n astudio effaith gwynt.
A wedyn ddaru ffrind fi gobio arna fi
i brofi'r theori!

Mae Sub Syr yn minging ond medde fi:
"Does this face look like it cares? Get off me case.
Mae athrawon sub yn seriously getio ar fy nerves fi."
Cofiais eiriau tad fi:
"Bydda fel papur toilet John Wayne –
Rough, a ddim yn cymryd crap."
But I know deep down I should have left it at that –
gadael y 'Gwaddod' thingy where it was in the Labordy.
When the shit hit the fan ddaru o sgrechian ar fi,
"Rhaid i ti fynd i'r Dderbynfa Disgyblion,"
but I couldn't be assed going there.
Dwi'n cael digon o bobl yn mouthio arna fi adre.

They sent me for a Gwaharddiad pan ofynnais i i'r nyrs
am Six Pricks.
And there wasn't anyone in the Canolfan Gosb to
goruchwylio me then!
Ddaru'r athro o'r Top ddweud ei fod o'n dod draw am 'sgwrs'.
Still waiting for the 'sgwrs', like.
Peth arall ddaru narcio fi ffwrdd am Sub Syr oedd pan
ddywedodd o
nad oes ganddo fo ffydd yndda i.
Mi ddwedais i:
"I'd be dead gutted yn calon fi if I didn't get my TGAUs."

Even amser cinio I 'ave to arwyddo'r Cerdyn Cosb
bob deg munud.
Mae'n waeth na *Prisoner Cell Block H*!
I was supposed to have a cyfweliad
from that Gyrfâu bloke.
But I'm here in the Ystafell Gwaharddiad Mewnol now.
Don't know why they've changed the name to Cynnal.
Pwy sy'n cynnal pwy?

Dwi ochr yma i'r sgrin –
ddim yn siŵr iawn pwy sydd ochr draw i'r sgrin.
Mae hi fatha *Blind Date* efo Cilla fan hyn!
Blind Date
ar nos Sadwrn pan o'n i'n hogyn bach
yn edrych ar ôl fy chwaer ar fy nglin.
Pan oedden ni'n dau yn arfer chwerthin
nes oedden ni'n crio.
Y tŷ i gyd yn ysgwyd
a neb yn mouthio arna i
wrth i ni ddisgwyl i Mam ddod adre o gwaith.

A Oes Heddwch?

'Dan ni wedi bod wrthi ers wythnosau
bob amser cinio, rhwng brechdan a chofrestru,
yn gwasgu munudau
o roi pwyslais ar hwn,
a gwneud yr ystum iawn fan hyn.
Ac yn y Cylch
ddaru'r beirniad ddim codi ei ben oddi wrth ei bapur,
ddim edrych ar yr wynebau yn y diwedd!
Mae'r busnes Llefaru 'ma 'di newid!

Doedd 'na'm rhagbrofion yn y diwedd,
felly 'dan ni 'di bod yma am oriau,
a doedd 'na'm paned i'w gael yn unlle.
Doedd neb wrth y drysau adeg y Llefaru
a rhywrai'n sgrechian yn y cefn.
Ymarfer ymgom, wir!
Maen nhw angen 'mic' yn y neuadd fawr 'na!

Dim ond ni'r Cymry fuasai'n cael Eisteddfod!
Mae'n unigryw, meddan nhw.
Ydy, siŵr o fod.
'Dan ni mor brysur fel cefnogwyr
ac i feddwl y petha
'dan ni'n gorfod eu gwneud
i gadw'r iaith yn fyw!
Ac ar ôl bod wrthi heno
efo'r Uwchradd
tydan ni wrthi drwy'r dydd 'fory yn y Cynradd?

Be? 'Dach chi'n methu dod yfory?
Wel . . . wela i chi flwyddyn nesa 'ta, ia?
Fyddwn ni ar goll rŵan bob penwythnos
a phob amser cinio, rhwng brechdan a chofrestru,
dim i'w wneud tan y Steddfod nesa!

‘Parth Di-blant’

Ers cael yr adeiladau newydd,
mae ’na bellach ‘Barth di-blant’.
Dim i fennu ar garped ac awyru.
Dim ond absenoldeb plant –
y pethau blêr, trwsgl,
cegog, llawn hormonau hynny
sy’n digwydd crwydro coridorau
ysgolion uwchradd.

Fel Gwersi Hapusrwydd
sy’n newydd ar gwricwlwm bugeiliol,
mae Parth Di-blant yr ysgol
yn sgleinio’n eironig.

Efallai fod yr ystafell gynhadledd i’w llogi
a’r cwricwlwm
yn sgleinio’n gyfrolau ysblennydd ar silff,
ond heb blant
yn rhedeg a chamfihafio,
yn holi yn eu diniweidrwydd,
yn addo peidio â gwneud byth eto,
chwarae plant ydy ‘Parth di-blant’.

Sglein y llawr
fel sglein y ffeil ragorol gan arolygwyr
ar silff cabinet delwedd a dyrchafiad.

Un Dydd

Un dydd fydd dim blinder cysylltu,
un dydd pob tecst wedi'i ateb chwap.
Rhyw ddydd ni fydd unrhyw flinder aros,
un dydd ni fyddwn yn ofni i rai fanteisio.
Un dydd daw teyrngarwch mewn ennyd,
un dydd, gyfarchion o bob cwr.

"I can't be assed."

Diwrnod hanesyddol fydd hwnnw
pan atebi di dy ffôn ar y lôn.

Henffasiwn

Dwi'n byw yn yr henwlad
lle mae cyfeillgarwch yn byw
fel gardd wedi'i dyfrio
wedi diwrnod o haul.
A phan ddaw stormydd geirwon,
a rhaib i flas y gwynt,
bydd yr ardd yn gysgod,
ac yn gannwyll yn ein nos,
fel coflaid dynn.

Yn yr ardd dysgais diriondeb
dagrau'r glaw am betal,
a gofal y rhai sy'n tendio
am y pethau bychain.
Ac ynddi roedd cariad yn wyrdd ir,
a phob Cyfiawnder yn ffynnu yno
ymhlith y perthi.

Eto i gyd, roedd rhyw ddieithrwch yn ei lygaid o
y noson honno,
fel petai wedi blino gwrando.

Arlliw

Rhyw gornel bach ohona i
yn dal y gannwyll i'r gobaith sy'n marw'n gyndyn.
Posibilrwydd y gwela' i di eto.

Un rhan fach o efallai
yn dal ym mlodeuo diniwed fflur ceirios
yn yr eira,
un dafn bach o petai
yn gnoc ar ddrws posibilrwydd.

Y rhan fwyaf o'r amser,
prysura bywyd rhagddo.

Ond pe deuai
yr awgrym lleia o efallai,
y cysgod tyneraf o petai,
y sibrydiad cynta o'th bresenoldeb
yn ôl i'r ffrâm,
fe fyddwn wedi fy llorio.

Heledd

Dim ond rhyw hanner lleuad
yn edrych arnat
heno,
nid y lleuad lawn,
ond y cwmwl a ddaeth i'w guddio.

Fflach eiddgar y dyddiau da
fel dy ruo annwyl
drwy ffurfafen y nos.

Heddiw, llithro heibio i Barc y Rhath,
â'r gwanwyn yn ymagor,
i Thornhill,
dy fywyd di ar ben.

Llachar oeddet fel
y sigarét honno yn y nos
y soniaist amdani yn dy gerdd.
Tithau'n debycach
nag y credai 'run ohonom iddi,
yn diffodd yn ddisymwth ar y tarmacadam oer, du.

Heledd naturiol,
mae'r cwmwl wedi codi.

Ben o'r Caeau

(Dilyniant er cof am Ben, fy mab bedydd o Barc Caia, Wrecsam)

Gwastadedd

Doedd o ddim yn angel,
ond roedd o'n angel i rywun.
Yn y lluniau ohono'n blentyn
edrychai fel angel i bawb.

Cafodd flas ar gefn y 'beic' yn Nhywyn,
gwibio a gafael yn dynn.

Yna'r arafu i ddilyn hers
heibio i'r carafannau gweigion.
Dilyn angau un Ionawr.
Roedd yn hoff o dŷ ei nain.
Yna goddiweddyd ar yr A55.

Goddiweddyd angau am y tro.

Gweld

Cyrn y Brain yn crogi uwch y stad unffurf,
Ben isio dwyn y Greal Sanctaidd i ben ei Ddinas Brân.

Dianc i'r tomennydd slag.
"*That bike'll be the death of him one day*" –
y sylw ysgafala.

Y beic a dramwyai bonciau'r Pandy,
a ogleisiai raean beddau Gresffordd.

Deuai yntau'n fyw ar y beic.
Yno, roedd o'n gawr
a reolai'r byd,
a goleuai
antur bylni ei lygaid.
Yma credai fod pethau'n bosibl,
ar foto-cros diniwed y tomennydd mud.
Cadwai hygrededd â phlant y Caeau.

Graffiti

Brath y rhew cyntaf ar y ddaear,
y llwydrew'n glynu,
a'r haul llachar â'i wres yn gyndyn hyd yr heolydd.

Mae 'na goch yn yr aeron eleni.
Coch dy golli ifanc di,
Coch llygaid mam ddi-glem,
Coch ofnadwyaeth damwain.

Ben bach
a oedd yn y ffrâm ar y silff ben tân.
Dy fachlud yn goch o ifanc
ac annisgwyl,
yn treiddio fel haul Tachwedd.

Tithau yn d'absenoldeb yn fy nhynnu
i hen chwrligwgan y teimladau
chwerw, anodd hynny
wrth geisio deall bywyd a gollir
ar drothwy'r deunaw oed.

Ar adeiladau'r siop ar draws y ffordd
graffiti cyfoeswyr i Ben,

nodiadau talfyredig eu galar,
"*See U Wen we get there*" a Chroes.

Machlud cynnar Tachwedd
yn miniogi'r coch.

Rolyrcoster

Rhyw fywyd fel d'un di mae rhai'n ei gael,
wedi'i dreulio'n chwim.
Fel rhosyn wedi ei docio cyn ei flodeuo,
wedi darfod cyn ei ddechrau,
a'i rolyrcoster penchwiban
yn cyrraedd yr iselfannau
ac yna â sgrech yn bwrw i'r entrychion,
a'r oedi yno ennyd fer
cyn chwyrnu am y twll islaw.
Mae rhai yn byw fel ti,
Ben o'r Caeau.

Mam ar chwrligwgan dyddiol ei galar,
ambell ddydd yn boddi yng ngweddill ei theulu,
ym mywyd y ferch a ddaeth adre o'r Rhyl.
Ond dro arall yn croesi'r ffordd,
a dal i weld y graffiti ar y wal.
Teyrnged plant y Caeau yn ei thagu.

Yr adegau pan nad yw llond y tŷ yn ddigon,
yr yfed te, y smocio ffags.
Ar gyfer y dyddiau hynny
pan mae'n bwrw'n ddi-baid,
ar gyfer y bylchau hynny
yn y sgwrs.

Ar yr adegau cyn i'r glaw lacio,
cyn i'r haul fynnu ei ffordd yn gyndyn
o'r tu ôl i gymylau.

Ar Ffordd Cefn,
blodyn yr haul a'i ben i lawr.

Helmed

Diwrnod Plant mewn Angen,
Cyngerdd a chynnwrf draw yn y Dre.

"*I can do everything, but I can't go and get his clothes*
back from the hospital."
Ei gladdu mewn tracsiwt,
efo trainers, a'r wats newydd a gafodd
ar ei ben-blwydd yn ddwy ar bymtheg.

Daeth yr heddwas â'i helmed
a'r teulu'n ei byseddu'n annwyl,
dwyn Ben i gof â gwên a stori.

Plant y Caeau eisiau ei weld eto
yn ei arch ym Mhentrefelin.
"*He's not an exhibit.*"
Mam yn colli 'mynedd efo'r ficer agos-atoch,
ficer y siarad bob dydd a'r jôc,
"*You're not going to piss around in the funeral are you?*"
Deall nad oedd diben ei chroesi.
"*Cracking jokes and all that.*"

Mam mewn angen heno.

Yr Angladd

Hers sylweddoliad yn sleifio'n anorfod
drwy'r brigau llwm,
camerâu'r papur lleol yn cadw'n ddigon pell
ond eu lensys treiddgar yn sibrwd cyfrinachau,
a llen y ddrama'n cau.

Cyrraedd yr eglwys yn ofnus
o orfod darllen yn y gwasanaeth angladd enbytaf.
Darllen i Ben, ac i'w fam ac i blant y Caeau
a hwythau yn llenwi'r eglwys
yn yr ieuengaf o angladdau.

Y ficer mor urddasol heddiw,
ac ochr feddala'r stad
y bydd pawb yn bwrw'i sen arni
yn gorlifo i bob cornel.
Pedwar cant o blant y Caeau
yn llenwi San Silin mor ddigymell.
Môr o *trainers*, a chapiau pig di-gân
a ddaeth o'r priffyrdd a'r caeau
â'u hieuenctid diemyn a'u dagrau tawel.
Heddiw â'u pennau wedi plygu
yn chwilio am ronyn o ystyr
gan rywun o rywle.

Yna daethant i'r fynwent,
gweld y gollwng i'r twll du, unig,
mor ddwfn heddiw
i genhedlaeth y cylchgronau bytholwyrdd.
Does neb yn haeddu marw bron yn ddeunaw oed.

Roedden nhw yno
yn syllu'n gegrwth ar y gollwng dirdynnol
i'r clais gwlyb ar fron y dref.

Clwb Rheilffordd

Roedden nhw yno eto
yn dangos eu cardiau ID,
yn ceisio hudo diod gan y gweinyddesau,
yn dal i grio a chael eu cysuro,
wedi deall bod rhywbeth yn arbennig
yn y bachgen tawel, tawedog.

"*I should be proud really*,"
meddai Mam wrth geisio bwyta *vol-au-vent*.

Roedden nhw yno â'u blodau
fel eu lluniau yn diferu mewn bagiau plastig,
i gael gweld un o blant y Caeau
yn dychwelyd adre.

"*See U Wen we get there*."

Priodas

Drannoeth, priodas yn y plwyf.
Limo gwyn a chlychau llon.
Fydd dim cyfle i ti gael
cludiant mewn cerbyd o rubanau.
Yn y Drefn a weinyddir arnom,
dim cyfle i ti gael hyn.

Heddiw, tinc llon y clychau
yn diasbedain dyddiau da,
a'r gwanwyn yng ngwisg gwesteion undydd.
Ni allwn ddianc rhag clychau'r bore
uwch y Dre.

Bingo
(*yr haf dilynol*)

"*House*!" gwaeddodd Mam
yn loteri wythnosol rhifau
Dôl Eryrod.

Dychwelodd hithau at gwmnïaeth y genod,
er nad ei mab bellach,
a arferai wirio'r rhifau yno.

Roedd pawb yn meddwl y byd ohono'n Mecca,
a Mam yn teimlo'n nes ato'n fanno.
Yn nes at yr anwyldeb hwnnw oedd uwchlaw amser.

Dim *full house* go iawn eto,
ond bywyd o fath yn ôl.
Er y chwerthin a'r gweiddi heno,
mae'r Cwest a ohiriwyd, yfory.

Ben 4 Eva

Chwaer ifanc yn dychwelyd adre,
mae hi'n ôl cyn 'gwarchae' hanner awr wedi deg.
Yn ôl i glywed 'Climb Every Mountain'
ar y sioe i ddewis Maria.

'Run wyneb â'i brawd yn union.
Tania ffag ei hieuengoed.
"T'isio gweld y tatŵ?"

Gwaith da mewn ugain munud,
yn amryliw ar y croen ifanc, doeth.
Dim ond gair,
BEN.

Y graffiti yn dal yno y tu allan yn y glaw heddiw.
Graffiti'n dal yno ar ei chalon,
hiraeth heno fel tatŵ ffres yn diferu gwaed.

Deunaw Oed

'Chafodd o ddim gorweddian
wrth stand band y dre, ar lawnt ieuenctid,
ddim hyd yn oed am orig fer.

Ar y dyddiau braf hynny
pan â'r giang yn eu dillad llac, rhydd
o'r Caeau i'r Llwyn Isaf,
a phan yw'r haul yn dragwyddol,
doedd Ben ddim yno.

Syllai ei fam ar y plant eraill
yn mynd heibio'n ddiofal,
dawnsiodd dro â phetai a phetasai
tu ôl i'r llenni tryloyw.
Ben o dan y dywarchen bridd drymaf.

Ar noswaith pan yw'r haul pentymor yn hir yn suddo
uwch Cyrn y Brain.

Heno byddai Ben yn ddeunaw.

Y Garej Gefn

Daeth y Cyngor i olchi'r waliau,
a phrotestiodd un o'i ffrindiau
mai arwydd o barch
oedd gwlad y graffiti byw.

Roedd gan foi'r Cyngor ei waith dileu i'w wneud.

Ond ni lwyddodd i weld
y graffiti ar ddrysau'r garej yn y cefn,
y tu ôl i'r siop.

Arhosai hwnnw,
pan ddaeth hydref arall yn ei gwymp.
a chwa o Ymchwiliad
i ailgodi'r dail.

Methwyd dileu'r mynydd graffiti
ar ddrws y garej gefn.

Bron y Dre

Ar ôl bod yn Bingo,
tra bo'r tywydd yn caniatáu,
ânt yno i dwtio wyth o feddau'r teulu,
ac yn goron ar y cyfan
bedd Ben.

Blodyn yr haul yn dalsyth yn y borderi ar Ffordd Cefn.

Deilen gynta'r tymor yn taro'r sgrin,
a llusgo'n araf i lawr,
mes yn disgyn fel manna o big aderyn.

Arysgrif aur ar y bedd:
"*You don't know what you've got until it's gone.*"
Danny'r hogyn cleta
wedi gadael barddoniaeth mewn bag plastig.
I feddwl fod gan Ben ei ofn erstalwm.

Llun yr arddegwr bythol yn syllu arnom
o'r maen mud.
Diwedd diwrnod ysgol arall,
rhu traffig yn chwyrnu islaw.
Ar fin y llwybr,
Ben.

Mae'n anodd ei adael yno
a'r blodau haul yn mynnu dawnsio.
Anrheg deunaw oed o fedd,
yr anrheg ddrutaf.

Rhwng llinellau'r sôn am yr hyn a ddigwyddodd,
mae Mam yn dechrau dygymod,
yn dechrau adfer ei chryfder,
sylweddoli bod bywyd Ben wedi golygu rhywbeth.

Ar ddibyn olaf claddfa lawn y dre,
twll sydd mor ddwfn mewn calonnau,
twll di-droi'n-ôl ohono.

Canolbwynt y garreg newydd
yw llun dy feic
ar ei daith fythol fry,
o'r Caeau i'r copaon.

Buddy Holly

Buddy oedd ein gwahanu ni.
Ein cân ni oedd ei gân o.
Doedd neb yn gwybod.
Ond doedd 'True Love Ways' ddim i fod.

Dim ond cân o'r cysgodion oedd,
y tinc lleiaf o gornel llygad i'r gweddill,
ond i ni golygai bopeth gefn llwyfan.

Sylwais nad oedd y gân
yn y cynhyrchiad newydd
flynyddoedd wedyn.

Beirdd ar y Stryd

Nodiadau'r plant hyd y stryd ger McDonald's,
personoliad a throsiad yn nawns awel haf.
Meirion MacIntyre Huws yn un o'r criw,
Cardiau post yr adolygu,
Arddull a gwerthfawrogi
ar briddfaen coch Wrecsam.

Ymfalchïais
fod y Gymraeg hyd bafin dinesig
a beirdd Cymraeg yn cael strît crèd,
nid eu dysgu ar gyfer arholiad yn unig bellach,
ond wedi eu rhyddhau ar balmant y dref.

Y Gymraeg i bawb ei rhannu.

Cardiau post lliwgar –
Iwan Llwyd yn rhydd,
Menna Elfyn a Gwyn Thom yn hollol benchwiban
benrhydd!
Cyffelybiaeth, cyflythrennu,
personoli, ansoddair,
berfau, ailadrodd,
personoli, symbolaeth.

Rhyddhad y gorffen,
y cadw ar y cof i ateb arholiad,
rhyddhad y gwasgar i'r pedwar gwynt,
a 'Ffatri wedi cau' yn ffodus
wedi dod yn gwestiwn ar bapur.

"Beth yw'r ots gennyf fi am arholiad?"

Diolch am y gymwynas o'u taflu hyd y stryd wedyn,
lle maen nhw i fod,
ym myd y 'McFlurry'
lle mae curiadau'r ceir chwim yn gwasgaru'r enwau
yn y Mai hwnnw sy'n fythol heno.

"But That's in Welsh . . ."

"*But that's in Welsh . . . you don't speak Welsh,*"
gwaedda'r fam dros y Llyfrgell
wrth ei theirblwydd
sy'n anwesu llyfr lliwgar geiriau cyntaf.
"*That's in Welsh . . . you don't read Welsh.*"

"*But Welsh could be my language
if you let me learn it, you silly bitch,*"
gwaedda gwep ddi-glem a dieiriau
hithau'r deirblwydd
yn ôl at y fam.

Mam am sgwrio'r iaith allan ohoni
cyn i sbwng ei hymennydd
gael dechrau amsugno
unrhyw arlliw
o'r hyn y bydd yn chwilio amdano
am weddill ei hoes;
a'r hyn a fydd yn chwarae mig â hi
yng nghoedwig ei dymuniadau.

Lludw

*(Dydd Mercher y Lludw yn Eglwys yr Actorion,
Eglwys Sant Paul, Covent Garden, Llundain)*

Noel Coward a Flora Robson yn fud ar y wal heddiw,
a llais Kenneth More wedi tawelu'n arysgrif bellach.
Dim cân a dawns,
dim llawryfon nac encôr.

Y dorf oddi allan yn chwerthin –
chwerthin Sul y Blodau,
a'r gymeradwyaeth yn tonni i mewn
wrth gymeradwyo'r jyglwr diweddaraf.

Oddi mewn
mae hi'n dawel
a'r haul ar Fercher y Lludw
yn edifarhau yn oriel ddi-lun yr actorion,
fel sbotleit.

Llwyfan i'r lludw sydd heddiw
gam o gymeradwyaeth wantan y byd.
Daw gwraig ataf i ddweud 'mod i wedi colli'r gwasanaeth,
lludw'n arwydd croes ar ei thalcen edifeiriol.
Lludw fel colur actores.

Y cysegr syml hwn i'r actorion,
ymhell o chwerthiniad torf a thafod critig.
Yma roeddent i gyd yn cyfri
y mawrion, a'r rhai na chyrhaeddodd y llwyfan,
y rhai a serennodd, a'r rhai sy'n dal i ddisgwyl am eu 'cyfle mawr'.
Pob un yn gyfartal yn sylw'r Critig Hael.
Mewn dinas lle nad yw'n gyffredin bellach i siarad,
cawsant siarad yma,
waeth beth fo'r ddrama neu'r rôl.

Mae un heddiw
yn sibrwd ei linellau wrtho'i hun,
gerbron ei Greawdwr yn ddi-giw
yn gofyn i'r manion o bobl yno am buntan.

Y tu allan, ar sgwâr poblog yr Ardd,
maen nhw'n taflu platiau,
a gwneud giamocs ar ben peni-ffarddin.
Gerllaw yn Inigo Place, hen actorion ar gadeiriau pren
yn gwrando'n fud efo un glust ar ffair y byd,
heb orfod medru trin cynulleidfa mwyach.
Efo'r glust arall maent yn treulio'r prynhawn tawel hwn
yng nghefn yr eglwys
â'u bryd ar sgript arall.

"*Two pound for a hostel, sir?*"

Yr Iesu'n Unig

(*Cadeirlan Anglicanaidd Lerpwl*)

O'r Mawredd drachefn,
at y Duw tawel yn yr ochrau
Dod yma'n benodol i Gapel yr Ysbryd Glân
lle mae Iesu'n unig,
lle mae tician amser fel anadliad plentyn,
a gadael ein cargo o ofidiau gydag Ef.

Yma trwy ddagrau i weld yr Iesu'n unig,
yn cofio Galilea
cyn wynebu galar diateb yr Ardd.

Rhaid wynebu'r düwch
er mwyn cyrraedd y goleuni dyrys hwn
a'r hwb o fynd i'r tir uwch ar y graig finiog.

"Mae hi wastad yn oer yn yr ystafell yma,"
fy llais yn torri'r tawelwch.
Ddim mor oer â lle fuest ti'n cyrcydu, Paul,
wrth ochr y gadeirlan efo dy sgarff dwy bunt
i'th warchod rhag y nos,
ar ôl i'r gŵr hael hwnnw geisio ymosod yn rhywiol arnat.
Gwell cyrcydu wrth ochr cadeirlan
na derbyn caredigrwydd ffug.

Paul a gollodd ei dad yn Nhachwedd,
erioed wedi adnabod ei fam yn iawn.
Boi sy'n cadw ei hun iddo'i hun,
yn ei dracsiwt a'i fag,
yn dal ei fyd brau, balch.

Teimli'n fudr yma
wrth Iesu'n unig,
a phlygi dros y lectern weddïo
fel yr Iesu yng Ngethsemane.
Mae hi'n oer yma,
ond ddim mor oer â dy fywyd di,
sydd wedi cyrraedd y pen
ar y dibyn hwn,
efo un bag llaw
a gorwelion a grebachodd yn annelwig.
Iesu yn unig.

Rwyt mor flinedig,
ac yn canfod yng Nghapel yr Ysbryd Glân
heddwch.
Mor bŵl dy lygaid heddiw, Paul,
y llygaid sy'n sylwi ar haf y lliwiau
yn y gadeirlan Gatholig yng ngwres yr haf.
Mor groes yw dy lygaid i liwiau'r Nadolig,
heb fwyta ers tridiau,
fe ddeui yma at yr Iesu'n unig,
at un sy'n deall.

Sylli ar Ei lun,
a'r gwynt yn hymian ei farwnad
rhwng y drysau trwchus, clepiog,
ar un o'r dyddiau llac hynny
pan nad oes neb hyd yn oed
ar y ddesg groesawu.

Dim ond Dyrnu

(*Gwener y Groglith: gwaith arlunio Craigie Aitchison o Ynys Arran o Galfaria, Cadeirlan Anglicanaidd Lerpwl*)

Eiliadau tawel â'r llun
ac â'r lleuad oer.

Sŵn dyrnu yn llenwi'r awyr,
yr un hen ddyrnu'n atsain,
y dyrnu na newidiodd yn sgil technoleg na'r we,
yr hen ddyrnu sylfaenol hwnnw
o hoelion i bren.

Cofio'r dydd y dyrnwyd y Di-nam
gennym ni.
Nid â geiriau, nid â gwenau ffals y dydd,
nid yn dechnolegol ddigidol
ond â lleisiau'n ymgasglu'n floesg,
yr hen ddyrnu hwnnw
yn ein gwneuthuriad dyrys.

Codi pen at fuddugoliaeth y Crist canolog.
Gwyrdd dwfn fel yr hen draddodiad,
a'r gwyrdd ifanc gwanwynol
fel y cyfamod newydd.
Awyr o waed,
gwaed wedi'i daenu hyd ddaear.

A phob carcharor yn wyn.

Chwyldroir ein blaenoriaethau
gan fflangell y Cariad.

Dwylo

(*Sgwâr y Frenhines, Wrecsam, adeg y Pasg*)

Dwylo'n estyn am y bara,
dwylo wedi'u pardduo gan y Groes.

Ar ddiwedd yr oedfa awyr agored
rhoesom baent ar ein dwylo
a'u gosod ar y Groes
i gofio'n rhan ninnau
yn yr anfadwaith.

Dewisai rhai'r coch amlwg,
a minnau'n greddfol gymell at y glas
at y gobaith i oleuo crocbren.

Araf yw'r dorf i wasgaru,
fel datgysylltu Croes,
datgymalu euogrwydd.
Gadawyd y Groes ar y sgwâr
â'n hoel dwylo ni arni.

Dihangwn oll i gydwybodau chwâl
Sadwrn gwag y Pasg,
heb sylwi fod staen y paent
eisoes wedi dechrau codi.

Via Dolorosa

Faint mwy o'th ofidiau
wyt ti isio i mi fod yn glust iddyn nhw
nes y gwnei di droi dy gefn?

Dwi yma i gael fy nefnyddio,
a phaid â phoeni am weld fy ngwewyr.
Unrhyw feddalwch weli di ynof fi
fe'i rhof o i ti,
fflangella fi am fy sensitifrwydd.

Dydy cofio 'mod i yno drwy dy oriau du
yn golygu dim i ti,
cofio mai dim ond y fi oedd yn glust i'th wae
yn werth dim,
dim hyd yn oed ddarnau mân o arian
i'w chwalu hyd gae'r benglog.

Ddim hyd yn oed yn decst esgusion i mi;
dim gwell na sbwriel ar y strydoedd,
dyna fy ngwerth i ti.

Rŵan bod dipyn o haul ar dy fryn,
dwyt ti ddim isio cofio i mi gario dy Groes.

Dwi yma i gael fy nefnyddio
mor ufudd,
hyd ddiwedd y byd.

Rêf

(*Cynhaliwyd 'rêf grefyddol' yng nghlwb nos
Central Station, Wrecsam*)

Dim llef ddistaw fain
ond y danbaid, fendigaid gân!
Troellwyr traciau'r trywydd newydd
yn boddi stryd pleser â'i seiniau O.

Symudwn yn bendant at y bar
sy'n dylifo llaeth a mêl,
sudd afal, coffi, neu ddŵr bywiol.

DJ dwyfol a'i bêbs bendigedig,
â'r un hen her i gael dawnswyr
i ganol llonydd llawr ei ymddiried.
I ddawnsio dro o amgylch bagiau blerwch ein byw.

Tra bo'r bownsars yn seiadu a sipian te,
bopiwn i Gareth Gates a'i 'Spirit in the Sky'.
Yn araf ciliwn o'r ochrau cysgodol, cysurus,
fel y ddawns gyntaf erioed.

Pryfed

"Fe ddaethon nhw i mewn i'r capel
ar gefn rhyw hen angladd
pan oedd y lle 'ma'n llawn w'thnos d'wytha."

Roedd 'na fwy o bryfed yn yr oedfa
nag aelodau'r capel.

Clêr yn dartio i lawr arnaf yn y pulpud,
fel y mynych gwestiynau
pam rwy'n trafferthu i wneud hyn
ar Suliau cyndyn, gwael.

Pryfed
yn glynu yn fy ngwallt yn fodlon,
yn clustfeinio ar y darlleniadau,
yn hongian dros fy nodiadau'n feiddgar ysgafala.

Lladdodd gŵr tua'r blaen
ddau ohonynt yn swnllyd
efo'i Ganeuon Ffydd fersiwn Organ,
cyn crochganu 'Efengyl Tangnefedd'.

Pryfed yn cuddio yn y blodau ffres a ffug,
ym mhibau'r organ yn seiadu.

Rhag ofn mai'r glêr yw'r cwmwl tystion,
fe'u pwniaf yn fwy tyner o'r pulpud
yn ystod y weddi.

Organydd

"Mae'r Capel 'ma'n mynd yn fwy bob Sul!
Gan fod y lle mor wag,
dwi'n llenwi'r lle â cherddoriaeth."

Cerddoriaeth bêr organ Dr Caradog
drwy ei ddawn
a droir yn declyn Duw.

Y pibau'n dirgrynu'r llwch
a gyrru ias drwy'n cnawd,
yn bregeth o geinder,
yn llond pob lle ennyd,
cyn i'r gwagle a'r bylchau ddychwelyd,
ac i ninnau ddod yn ôl o ben y mynydd
i'r dyffryn, chwap.

Symudodd yr organydd i'r capel yn y dre
a bydd yn canu'r organ ddigidol yno
ambell dro ar rota.
Methodd gadw'r alaw bêr,
rhag grym y mudandod difater.

Gwragedd

(*Cyffordd Llandudno*)

Gwragedd yn dod i'r oedfa
o'r strydoedd teras,
yn dal yn ffyddlon,
yn dod heibio'r giangiau o hogiau
sy'n neidio ar do
y cyfleusterau cyhoeddus.

Gwragedd y Gyffordd
yn dal yn dynn
yng Nghaneuon Ffydd
waeth beth fo'r tywydd.

Gwragedd ar hen gyffyrdd bywyd
bob tro.

Goriad

Goriadau capeli dan sil ffenest,
neu oducha'r drws yn cuddio,
neu dan y mat.

Goriadau'r capeli oll
a adawodd bobl i mewn i roi glo ar y tân,
agor y glwyd, brwsio'r llwybr,
dod â blodau i'r blaen er cof,
rhoi rhifau'r emynau yn eu lle,
weindio'r cloc,
paratoi'r elfennau.
Darparu dŵr glân i bregethwr.

A chyn hir
angof fydd hyn
fel diffodd sgrin gyfrifiadur,
ac fe gollir yr hyn a fu'n allwedd gynt.

Cristion 'Go iawn'

Fy "Helô" ymdrechgar
yn disgyn ar glustiau byddar drachefn
a thrachefn,
byth yn cyrraedd y nod, byth yn cyfathrebu.
Felly hefyd ei hepil digywilydd
sy'n 'sgyrnygu ar bawb yn y stryd,
a'i gŵr sydd weithiau'n gleniach.

"Helô."
Hedyn sy'n disgyn ar dir garw bob un tro,
yn cael ei gipio gan gigfran drahaus ei threm.

Daw hanner "Helô" yn ôl os dwi'n freintiedig o lwcus,
yn hanner gwên glipiedig,
mor Gristnogol ag Anne Robinson ar ddiwrnod gwael.
Iddi hi, gadwedig, fi yw'r cyswllt gwannaf!

Y glipiedig hunangyfiawn hon
sy'n ystrydebu'r enwadau'n israddol
i'w hardderchocaf oleuni hi,
a pharselu pawb ond hi ei hunan
yn dwt iawn
ym mlwch y pechaduriaid pitw.
Wedi'r cyfan, mae'r gwirionedd ganddi hi
ac wfft i bawb arall.

Ei gwên glipiedig, etholedig,
tra awdurdodedig, ecsgliwsif,
lwcus-os-cewch-chi-un-yn-ystod-eich-holl-fywyd;
well-i-mi-orwcdd-i-lawr-am fis ar ôl-gweld-yr-arlliw-
lleiaf-o-un.

Hanner gwên 'crefydd twll fy nhin'
y Cristion 'go iawn' sy'n byw i lawr y lôn.

Capel Cwm

Bron yn ddeng munud i wyth
ar gloc stopiedig
a sŵn yr afon yn dal i ganu yn y cwm.
Bu'r lle'n arloesol unwaith
gan fod y capel yn y canol,
ac o boptu yn gysylltiol
annedd a hen Aelwyd yr Urdd.

Heddiw mae'r llond llaw
yn funud ola'n dod,
ac mae'r drafnidiaeth brysur
yn swnllyd wibio heibio i Sul o hamddena
ym Morfa Bychan;
heb sylwi rhyw lawer ar y capel yn y coed,
lle unwaith y bu'r cartref
a'r gymdeithas yn gysylltiol.

Capel y Groes

(*Wrecsam*)

Oriau dwysaf
gyda'r ymadawedig yno;
hoen ieuenctid
y 'credu' cyntaf,
holl baratoi'r gwasanaethau,
dealltwriaeth dawel
mewn trem ac ystum
heibio i rwystredigaethau prifio
ar yr aelwyd hon.

Ac yn hyn oll, cariad Crist
yn llifo i lawr coridorau
fel baneri'n chwifio,
yn lapio amdanoch.

Samariad Trugarog

(Darlun Adrian Wiszniewski, Cadeirlan Anglicanaidd Lerpwl)

Wariar noeth clwyfedig ar fin y stryd,
a'r wraig o Samariad annisgwyl,
yn cynnig adferiad yn y llety.

Gwŷr busnes yn osgoi,
yn dal yn dynn yn eu bagiau
yn yr awyr ddu.

Tri o'r gloch ar y wats,
a bwgan yr awr honno
yn araf lwybreiddio i'r ffrâm,
er gwaethaf hafan y llety a melyster y gwin.

Brad uwch y Bwyd

(*Llun yn Ffreutur Cadeirlan Anglicanaidd Lerpwl o'r Swper Olaf cyfoes*)

Pryd bwyd tebyg i'ch un chi a finnau
o amgylch byrddau heddiw.
Pryd bwyd rhwng ffrindiau.
Bowlaid o salad, taten bob,
potel o ddŵr ffynnon, cyw iâr, bara garlleg,
potyn i'r *mayonnaise*,
torri bara.

Tybed pwy ydynt yn union,
y chwe hyn efo Iesu
ar yr awr dyngedfennol?
A llygad pwy sy'n gweld y llun?

Tybed ai Jiwdas
yw'r un sy'n trywanu'i gyllell
yn awchus yn ei bryd bwyd,
fel y gwnaeth i gefn ei Feistr
yn ein hystrydebau parod?

A phwy yw'r un hŷn,
gofalus efo'r bwyd ar ei blât,
yr un sy'n cymryd amser i stumogi'r cyfan,
ac eto'n ddidaro'n edrych ymaith?
Cymryd pob cegaid yn ofalus,
byth yn gwneud sŵn â'i gyllell a'i fforc?

Ai Mair Magdalen
yw'r wraig ifanc sy'n denu ei fryd,
yn cael ei sylw treiddgar?
Mair ffyddlon.

Yn y canol mae O
yn gwybod am y ffin rhwng düwch a goleuni ynom,
yn hen gyfarwydd â dau bwyslais y bwrdd,
ac eto'n derbyn pawb yn barod
mewn pryd olaf o fwyd.

Ai poeni y mae O,
poeni nad ydym wedi deall?

Edrychaf i'r cyfeiriad arall,
rhag fy ngweld fy hun
yn yr wynebau duon,
sydd â'u golwg tua'r llawr.

Troi ei ben yn obeithiol a wna Ef
at ochr fwynach y bwrdd,
at ochr heulog y stryd,
heb gysgod llafn awchus.

Crefu'n dawel am ennyd yn unig
i'r gwpan oedd ar fin ei gyrraedd
fynd heibio iddo.

Penmon

(*Mai 2010*)

Trwyn Du, Penmon,
fel ym Mai bythol y gerdd.
Curiad cysurlon y goleudy
fel hen alwad i Osber seintiau,
un â lliw haul, a'r llall yn welw,
meddan nhw.

Tybio ar bnawn Sul braf o Fai,
y byddai'r byd a'i wraig ym Mhenmon.
Ofni siwrne seithug.

Ond wedi cyrraedd Ffynnon Seiriol
canfod mai dim ond fi sydd yma
yn deisyf dy gwmni Di,
a'r gwybed yn dawnsio
ar wyneb y dŵr
fel dy bresenoldeb Di.

Dim ond fi,
nodyn i fam ymadawedig ar y fainc garreg,
a'r gwybed yn dawnsio ar y dŵr,
a mwy o Adlewyrchiad nag arfer
ar wyneb y pysgodlyn.

Rhwng Carreg Bica a'r Tir Mawr

(Llangrannog)

Y don yn torri ger Carreg Bica
fel petai hi'n dragywydd,
a ninnau'n neidio a'r ffilm wedi arafu
rhag y llanw'n estyn ei dafod hyd y traeth.

Un min nos haf 'mhell yn ôl
ymestynnodd amser ei lastig
a bu'n drugarog wrth ddau 'Swog'
cyn i'r don dorri ar Garreg Bica.
Fel cernod ar wyneb,
y sylweddoliad bod trai yn bodoli.

Ninnau'n bypedau
gerbron cysondeb y tonnau
rhwng Carreg Bica a'r Tir Mawr.

Ninnau yn yr eiliadau hynny
cyn i'r don dorri,
yn dal ein gwynt heb wybod pam,
yn ysgrifennu teyrngarwch yn y tywod yn ddieiriau,
yn rhyfeddu at ein gilydd,
a'r dŵr yn goglais ein traed.

Heb ddeall rhyferthwy'r don,
a chyn gorfod symud i'r bae nesaf.

Rhwng Carreg Bica a'r Tir Mawr.

Hen Alaw'r Machlud

(Dyn a'i 'gitâr', Lerpwl)

Yr adeg honno o'r dydd
a'r haul yn llwybreiddio i fyny'r strydoedd o afon Merswy
a'r awelon â blas gartre arnynt
i'r Gwyddel a'r Cymro,
fe ddaw yntau.

Ymhlyg ger pistyll newydd y ddinas
sy'n herio'r ifanc i'w hantur nesaf,
daw yntau i ganu â'i gitâr ddychmygol
o gardfwrdd,
fel petai'n canu alaw bersain.

Ceisio dod o hyd i alaw
sy'n gweddu i'r gosodiad,
rhywbeth sy'n gofiadwy,
y bydd pobl yn ei chwibanu yn y strydoedd.

Syllu'n daer i lygad ei gynulleidfa,
y gitarydd dialaw heddiw,
yn perfformio'i ddiddymdra bodlon
ar gitâr ddinodyn.

Yna o'r bag
y ddiod,
a bara ar gyfer y colomennod,
i'w wasgar i'r machlud.

Fel hiraeth am gartre.

Cilmeri

Bellach mae tai chwaethus yn ffinio'r tir
lle lladdwyd Llywelyn.
O feranda gyfoes
gellir gweld y fan.

Led cae i ffwrdd
ceir gwersyll gwyliau Cilmery
yn gwerthu popeth
ond gwirionedd y maes hwn,
yn cynnig cornel chwarae i blant.

Seti pren ger y gofeb mor fregus,
blodau'n cael eu gadael,
a phenglog cenedl yn rhodd gan un ymwelydd
ger y maen ysblennydd.

Os am fwy o wybodaeth
am Prince Llywelyn
rhaid mynd 'nôl i encilfa ochr ffordd y pentre.

Mewn encilfa y bu hanes Cymru gyhyd.

Ond rydym mewn dyddiau goleuedig,
mudiadau fel Cadw yn mawrygu'n gorffennol,
ac eto, nid teimlad felly sydd yma
yng ngwaed dail y coed yn disgyn.
Dafnau o farwolaeth haf
hyd y maes gwyrdd.

Mae pob oes yn tystio
i angau'r cae hwn.

Ar fy ffordd adre
af heibio i encilfa Cilmery
i weld hanes Prince Llywelyn
a hwnnw'n annealladwy bellach,
y bwrdd arddangos wedi'i dreulio gan ddifaterwch y glaw,
wedi'i anwybyddu fel Ogof Llywelyn ei noson olaf,
draw ar y bryniau.

Munudau ofer mewn encilfa arall.

A daw i'r cof
y llyfrau chwaethus lliwgar, uniaith Saesneg
am Gastell Caernarfon,
a'r taflenni hwylus yn ieithoedd Ewrop.
Ond mae gofyn am daflen Gymraeg yn Nhyndyrn
yn peri edrychiadau fel petawn wedi glanio o blaned arall,
straffaglu nerfus mewn droriau cadw.

"I'm sure there's something here somewhere."

Fel gwacter Cilmeri heddiw.

Hollt

(*Ysbrydolwyd gan Dylan Gwyn Jones, a sgyrsiai yn aml am ddramâu ei ieuenctid yng Nghwmni'r Gegin, Cricieth*)

Mae 'na rywbeth yn drist
pan ddaw'r ddrama i ben,
rhyw ailgydio'n gorfod digwydd,
rhyw bigo'r darnau,
wynebu realaeth yfory.
Ac yn y *finale* gwyllt
edrychwn ar alawon ein hoes fer,
gan dderbyn gwendidau'n gilydd o'r diwedd,
a cheisio dal mymryn o'r gloywder sy'n weddill
yn ein llygaid pŵl.

"Gawson ni'n rhybuddio erstalwm
i beidio byth ag edrych
drwy'r hollt yn y cyrten ar y gynulleidfa.
Roedd o mor amhroffesiynol,
ond roedden ni wastad yn ei wneud o!"

A phan nad yw ei thad yn edrych
daw ei ferch i bipian drwy'r hollt heno.
Gan dynnu ei phen yn ôl yn sydyn
clywai ei thad yn dweud:
"Roedd Taid yn arfer deud
ei fod o mor amhroffesiynol
i edrych drwy'r cyrten cyn perfformiad."

Y llen wedi cau
a chymaint eto i'w weld.
Difaru heno
na fuaswn wedi syllu mwy drwy'r holltau.

Cyfartal

Rydan ni'n gorfod cwyno drosti,
tynnu sylw at ei diffyg ar bosteri,
dioddef yr hysbysiadau uniaith Saesneg.

A'r cyfan i gael ein trin yn gyfartal.

Rydan ni'n gorfod chwarae gêm
o ddarganfod siaradwyr Cymraeg
yn y corneli annhebygol yn aml yn ddifathodyn.

A'r cyfan i gael ein trin yn gyfartal.

Rydan ni'n gorfod crwydro siopau
a gweld y Gymraeg yn fychan
(os o gwbl)
islaw'r Saesneg lluosog
oherwydd bod dau wedi cwyno ei bod yno o gwbl,
yn methu dod o hyd i'w Flora'n rhwydd.

A'r cyfan i gael ein trin yn gyfartal.

Rydan ni'n gwrando ar sylwadau am ein hiaith fyw
'heb fod cymaint o werth ag ieithoedd Ewropeaidd
ac na ellir mo'i defnyddio ar wyliau' –
heb weld ei bod yn gweiddi am sylw ar hyd ein
    heolydd beunydd,
ac yn ysu am beidio â chael ei chicio yn y gwter.

A'r cyfan i gael ei thrin yn gyfartal.

Rydan ni'n gorfod ffonio rheolwyr,
a gyrru llythyrau nas atebir byth.
Rydan ni'n gorfod ysgyrnygu, bytheirio,
rhegi weithiau;

gwenu, chwerthin a chodi'r cwestiwn fel tôn gron
pan fydd siop ar newydd wedd
heb gynnwys iaith ein cyndadau
ar arwyddion newydd sbon.

Er mwyn cael bod yn gyfartal un dydd
yn ein gwlad ni ein hunain.

Dy Gariad Di

Dy gariad fel petalau pinc y coed yn ymagor,
fel y cynhesrwydd
sy'n cymryd lle'r gwynt main,
fel y blodau wedi goroesi gaeaf gerwin,
arogl glaswellt newydd ei dorri.
Dy gariad yn ailgynnig.

Dy gariad fel y dail yn tyfu'n ôl,
y glas golau yn y nen,
yn wanwyn o wyryfdod.
Dy gariad yn ddeigryn cynnes.
Dy gariad yn gangau praff yn ymwroli am haf
a thrysorau ymhlyg ynddynt.

Dy gariad yn flodau'n ôl yn y perthi
wedi'r tocio creulon.
Dy gariad yw'r eithin ar ei felynaf
a'r wên sy'n dymuno dychwelyd i hen linellau.
Taith fwy hamddenol ar hyd y lôn.

Y Llun

(Mary Jane Davies, Prifathrawes Ysgol Bodhyfryd Wrecsam)

Dau gwta dymor y bu o yno
dan ei gofal.
Dod i 'nabod plant y fro oedd y bwriad
cyn mynd i'r Ysgol Fawr.
Cafodd flas ar y wlad drwyddi hi.

Gwrthododd ganu yn ei chôr hi un diwrnod
am fod hwiangerddi yn gwneud iddo grio.
Dysgodd am ganhwyllau brwyn
a sgwennodd iddi storïau
am yr eiddew
yn cripian dros y byd a theyrnasu arno'n llwyr.

Tua diwedd ei hoes
roedd ei lun o yn dal ganddi ar y silff ben tân,
yn hogyn a ddaeth o lan y môr
i ganol y dref fawr yn ddeg oed.
Rhaid ei bod hi wedi'i guddio
pan gafodd o awr o'i chwmni eto
cyn Eisteddfod y Foel.

Dim ond ar ôl ei marw, ar hap, y clywodd
ei fod o'n un o ddau ar y rhestr fer
i gynnal ei hangladd yng nghôl ei Maldwyn.

Ninnau'n tyrru allan o'r ysgol gynradd,
crio wrth y giât y diwrnod olaf hwnnw.
Gadawodd hi i'r rhai a oedd yn mynd ymlaen

i'r ysgol uwchradd Gymraeg
adael cyn y lleill y prynhawn olaf hwnnw.
Yr unig ffafriaeth a ddangosodd erioed.
Cofnododd bob sensitifrwydd.

Aeth o drwy'i oes
heb wybod fod ei lun
wedi aros ar ei silff ben tân.

Hedfan

(*Dawnsiwr ifanc yn y sioe ddawnsio Wyddelig* Dancing on the Moon)

Dyhead llwglyd yn dy lygad
i fynd o lwyfan bro i lwyfan byd,
ac ar y noson honno doedd dim i'th atal
rhag dawnsio ar y lleuad.

Gwenu yng nghyntedd perfformiad
yn y ganolfan newydd yn Cillarnie.
Arwr bro a'i draed yn cosi
isio gweld ychydig yn bellach
na'r terfynau hyn,
y gwastadedd ger y llyn.
Am ennyd bach
i gael dawnsio ar y lleuad.

Daw ambell un
i droi llwyfan moel a meidrol
yn wlad o gyfannedd gwâr.
Golwg felly sydd arnat ti
wrth ddiolch mor foesgar i ymwelwyr am ddod i
weld y sioe.

Rwyt yn meithrin min dyhead
i fedru hedfan un dydd
a dawnsio ar y lleuad.

Deg Oed

Yn Wrecsam mae ’na hogyn bach
sydd ddim isio bod yn ddeg oed,
yn crio wrth feddwl,
eisiau newid y dyddiad.

Dylan,
yr hogyn bach sydd ddim isio bod yn ddeg.

Beth petait
yn dri deg oed,
neu’n wyth deg,
sut y teimlet ti wedyn?

Ond am heno
mae’n ddigon wynebu bod yn ddeg
a’r cyfan y mae hynny’n ei olygu.

A phan ddaeth y deng mlwydd oed
fe dderbyniodd Dylan y cyfan yn iawn,
er iddo ’sgyrnygu ar y ddynes gacennau yn Sainsbury’s
mai naw oedd o.

Er iddo ddyheu am gadw’r deg draw
dysgodd gydgerdded â’r lleidr
Amser.

Dawnswyr Chechnya

(*Grŵp dawnsio Daimohk dan arweiniad Ramzan Akhmadov yn Eisteddfod Gydwladol Llangollen*)

Llawnder llwyfan ac asbri
sy'n cadw'r cymylau draw
am ryw hyd.

Dawnswyr Chechnya
ag ergydion eu hofferynnau
yn cerdded yn dalsyth dros bont Llangollen
tua'r byd gwyn ym Mhen-y-ddôl.

Beth yw glaw i'r rhain?
Tu hwnt i fasg hyderus yr orymdaith
mae'n syndod bod balchder ar ôl,
lle bu ergydion y tanciau
a'u lle ymarfer wedi'i ddinistrio.
Buont yn cuddio rhag awyrennau'n poeri
yn y seler
cyn dod i Gymru.

Datblygu a wnaeth y ddawns
yng nghampfa'r ysgol;
dawns rhag gormes dynion bach â'u bomiau mawr;
rhag colli brodyr, a ffoi.

Daimohk sy'n dawnsio
ag angerdd,
ysbryd sy'n dal yn rhydd.

’Nôl o Lubeck

(*Côr Lubeck, Eisteddfod Gydwladol Llangollen*)

Y mab a sgwennodd ei gyfarchion
i gyw gohebydd
ar ei rifyn o *Daily Post* y dydd.

Minnau â mêl ar fysedd am stori
am y dychwelyd hwn,
y gŵr hwn rhwng y bryniau hyn.

Y tro diwethaf, llanc oedd o
yng nghôr ei dad o Lubeck,
y cyfeillion cyntaf hynny o’r Almaen
a gamodd yn betrusgar ar lwyfan y dydd,
a’r cyflwyno a fu mor anodd i Hywel
a gollodd frawd yng ngalanas Ewrop.

Hwn oedd y mab,
gyda’i gôr ei hun y tro hwn,
a hen ysfa i barhau’r cof am ei dad,
a’r weithred hardd
o ddod yn gyfeillion.

Fe wyddai rywsut cyn ei ddyfod
y byddai’r byd yn gwenu ar ei ddychweliad
i lwyfan arbennig y dydd.

Ewro-enwadaeth

Mae uno'r enwadau fel yr *Eurovision*,
pawb isio '*douze point*',
gwleidyddiaeth o dan wên aelodau rheithgor
'capel ni'.

Mae gan bob capel fel arfer ei Katie Boyle,
yn parhau i wgu ar Abba
yn eu sgertiau cwta! Twt lol!

Heb y cyfundrefnau, y cofnodion, y pwyllgorau,
y byrddau, a'r paneidiau
(heb anghofio'r bwrdd sgorio)
byddai'n rhaid i Katie droi'n ddigidol.
Heb hen gyfundrefn ddeinosôr
fe fyddai'n rhaid rhoi *douze point* iddo Ef.
Diweddaru'r Grym sy'n dal ar grwydr.

Ond dydy Katie
ddim isio wynebu'r Boom Bang-a-bang Bang.

Haf '69

Awyr glir,
heulwen Gorffennaf
yng ngwydrau tal
ystafell yr hen fans.

Hwnnw oedd y *TV Times* ola
y medrai hi ei brynu iddo,
er mwyn iddo dorri lluniau'r sêr
a chadw cofnod o bob ffilm mewn blwch.

Wybren ddu
ar fin cymylu
ei ddwlu ar y sêr.

Dyddiau'r llygaid coch
a'r dysgu caru,
a babi ganddi yn yr ystafell dros y cyntedd.

Yn ddeunaw iddi hi
darfu'r haf hirfelyn,
am y tro.

"Fydd pethau ddim 'run fath o hyn ymlaen."

Melinau Royton

Melinau gwlân a chotwm,
simneiau yn llunio gorwel,
ysgerbydau oes a fu.

Strydoedd cobledig Lowry a'i bobl coesau matsys,
y cyfan yn cael ei ddymchwel,
a haen y newyddoes yn gwneud y tro.

Parciau'n ddi-ieuenctid.
Aethant yn fyddinoedd di-waith
i chwydu eu dawn
ar luniau amryliw'r palmant.
Melinau'n gwarchod y gorwel.

Gwaddod eu gogoniant wedi darfod a'u peiriannau'n fud.

Ar wahân i'r adegau y disgleiriant
dan haul gaeaf,
pan fo Shaw a Royton yn edrych yn nes at y rhostir.
Am orig fer dymchwelir y cadwynau coch.

Traeth y Dydd

(*Ger Porth Dafarch*)

Mae'r cyfan yn edrych mor agos ar ôl cyrraedd,
er mor bell ydyw,
yno rhwng craig a thon.
Profiadau wedi'u costrelu'n dyner yma,
a dim yn mennu arnynt.

Â haul trwy gwmwl yn ariannaid
ddisgleirio ym Mae Trearddur.

Yma'r blodau bach delia
yn glynu wrth y creigiau garwa
ac yn dal i flodeuo,
wedi magu gwreiddia
pan nad oedd neb yn gwylio.

Broc môr wedi gadael ei gargo
ers y tro diwetha,
ond heb newid gwychder y traeth,
a daw ddoe ac yfory'n un
wrth i mi gusanu'r awyr,
tan y tro nesa.

Mae fy Mywyd oll yn Bost-it

Post-it ar y grisiau,
Post-it yn y gegin,
ar fy nghyfrifiadur,
tu mewn i'r car i'm hatgoffa.

Post-it ar fy nyddiadur
i gofio ffonio;
Post-it ar y wal wrth y ffôn,
Post-it i gofio ffotogopïo.

Post-it o restr o bethau i'w gwneud yfory,
Post-it ar y llawr wrth y drws ffrynt,
Post-it afradlon ar erchwyn gwely.

Y peth cynta a'r ola bob dydd,
Post-it.

Mae fy mywyd oll yn Bost-it.

Siân James

Siân
yn cyniwair
yr emosiynau i gyd,
eu codi'n dyner felodus,
heb gysgod cwmwl drostynt.

Yna cyfleu'r gwewyr y gwyddom oll amdano
yng nghorneli profiad,
lliniaru tipyn ar ein gwae.

Naturioldeb
sy'n trawsnewid hen gasgliadau
yn ganeuon i heddiw,
rhoi lleithder yng nghonglau llygaid
sy'n disgleirio cyn cau amrant.

Fel aelwyd yn ei chornel dawelaf,
a gŵyl haf yn ei churiad bywiocaf,
haul Gorffennaf ar ei gleniaf.

Margaret Williams

Heulwen ei llais
pan fyddo'r nos yn hir;
Tes hirddydd haf yr 'Eres Tú',
hiraeth torcalon 'Plaisir d'Amour'.

Ac wrth ei gwylio a'i gwrando
bydd pobl yn anghofio ennyd pwy ydynt,
ac am yfory, am ddyrchafiad yn y gwaith,
yn rhyfeddu at garisma na ellir ei brynu.
Mae 'na rai sy'n gallu gwneud i'n breuddwydion ddawnsio
am funudau yng ngwefr y gân.

Ac wrth dderbyn cymeradwyaeth
mae'r ferch o Fôn yn cydnabod
rhyw fawredd sy'n gweithio drwyddi,
sy'n ein codi uwch y cnawd.

Gollwng

(Cofio Rhian Phillips annwyl mewn seremoni ar lan afon Clywedog yn Erddig. Gollyngwyd nifer o swigod neu falwnau.)

Roedden ni wedi trio gollwng blodau i lif yr afon,
fwy nag unwaith,
dim ond eu bod nhw'n llongddryllio
ar y creigiau.

Dyma'r lle y deuai am bicnic yn blentyn,
ac i yfed yn ei harddegau
yn y cae o aur ger Clywedog.

Ond roedd gollwng y balwnau
yn well peth o lawer,
negeseuon ar bob un.

Heb eiriau cofio dy garedigrwydd di, Rhian.
Un blodyn gan y cariad
o dref Avignon.

Cofio dy wên a gollwng y swigod
i ryddid dy yfory.
Dy ollwng yn rhydd.

Swigod yn diflannu ar y gorwel yn yr haul.

Yna dim ond wybren glir.

Deunaw

(*Meddyliau tad ar Gilgwri*)

Mae'r hogyn yn West Kirby
yn y Coleg,
mae o'n ddyn heddiw yn swyddogol.

A phan fydda i
ar y gyffordd
sydd ddwy stryd o'r lle mae o'n byw efo'i fam,
mi fydda i wastad yn
gyrru neges anweledig
rywle i'w gyfeiriad.

Bellach yn West Kirby
yn y Coleg wrth y môr.

Un diwrnod rŵan, gobeithio,
daw cnoc ar y drws
rŵan ei fod o'n oedolyn,
sy'n gallu gweld ymhellach na'i fam.

Ond roedd hi'n anodd
ar y gyffordd heddiw
gwybod fod fy mab yn ddeunaw
a minnau heb gael ei weld
er pan oedd o'n ddeuddeg.
Y bachgen yn ddyn.

Dim ond yr un cip hwnnw
efo'i fam yn Cheshire Oaks
ond welon nhw mohona i.
Gweld ei fod o'n oedolyn tal
i bob pwrpas rŵan.
Yr un a anwyd i ni'n dri phwys,
pan ffendion ni bob gweddi oedd yn bosib
y tu mewn i ni,
y bychan hwn
yn ddeunaw heddiw.

Plant Bach Iesu

(*Bwlch yr Oernant*)

Teganau plant wedi'u gadael
ar fin yr oernant
i gofio'r plant
a adawodd y byd hwn yn arhosfan ein byw.

Teganau segur bychain,
tad a oedd ar ben ei dennyn,
a phlant a adawyd yn alanas greulon yma
yn anialwch bywyd un dydd.

A rhywle ymhell,
mewn dinas yng Nghanoldir Lloegr,
y fam
sy'n dwyn y baich agos a adawyd yma un dydd,
bob eiliad o'i hoes.
Ymhell o'r eithin a'r defaid crwydrol,
mae 'na wastad fam.

Un dydd fe ddychwela at yr oer, oer nant,
heb ddeall dim ond ei dagrau twym,
yn gobeithio yn fwy na dim bod y plantos
efo'r Iesu hwnnw,
y clywodd hi sôn amdano mewn neuadd eglwys,
rywdro ymhell yn ôl.

Plant Annwyl

Mae plant annwyl yn dod o hyd i gorneli mewn ysgolion
i gael parhau eu hanwyldeb cynhenid,
ymhell o'r dorf a'r gorfod plesio.
Helpu yn y llyfrgell yn eu hawr ginio,
neu ddod yn gynnar i gofrestru.
Mae plant annwyl yn edrych allan amdanoch yn y dorf.

Mae plant annwyl yn codi'u llygaid yn araf,
sylwi ar liw newydd eich siwmper,
gweld ei fod o'n gweddu i liw'ch llygaid.
Gŵyr plant annwyl pryd i ymateb
a phryd i anwybyddu,
meistrolant yn gynnar iawn
y grefft gain o osgoi trafferth;
troi'r foch arall
efo'r llygaid dyfnion, cyforiog hynny
a all adrodd cyfrolau am wir ddewrder.

Mae eraill, llai dewr,
yn cadw'r man annwyl hwnnw oddi mewn iddynt
hyd yn ddiweddarach yn eu bywydau,
i un person, efallai, neu i'w plentyn eu hunain.
Bryd hynny byddant yn dod o hyd i gydbwysedd,
yn darganfod yr hen drysor yn yr ogof,
ar ôl gweld nad oedd bod yn galed yn gwneud iddynt
deimlo'n dda,
a bod neb o'r giang yn ffrindiau bellach.

Mae plant annwyl gam ar y blaen
i fwlis byd,
wedi deall ers cyn cof sut i chwarae'r gêm,
sut i oroesi.
Mae plant annwyl yn dod o hyd i gorneli mewn ysgolion,
a rhyw gorneli mewn bywyd
wedi hynny.

Pentrebychan yn yr Hydref

(Angladd Justin Pemberton yn yr amlosgfa – un o ysgrifenwyr Grŵp Cei Conna – yn ŵr ifanc)

Dail y coed yn goch
fel llygaid llawn dagrau hallt
yn y ffatri angau a ffags hon
lle ceir mamau'n ysgwyd o golli rhai ifanc.

Y dail yn ddiferion fel dagrau heddiw,
weithiau'n goch, weithiau'n felyn
ar y rhodfa i'r amlosgfa.
Y siwrne olaf
i'r ifanc,
cyn ei adael yma,
a ninnau'n troi am adre.

Darnau dethol o seindrac ei fywyd
yn britho'r gwacterau diemyn.
Ond fe'n gadawyd yn y darlleniad olaf
ag un o'i gerddi
â'r neges o wellhad ac iachâd
y tu hwnt i'r byd hwn.

Cymwynas ei neges olaf un
yn ein cryfhau,
a ninnau'n troi am adre.

Mair Coed-poeth

"Mae Alan yn gofyn sut ydw i,
a dwi'n deud wrtho fo, 'Mae 'ngheg i'n iawn.'"
Byddai Mair wrth ei bodd yn cael gom.
"'Di'r Brenin Mawr ddim yn cysgu,"
dyna a ddywedai yn aml.

Does dim 'gom' yng ngwely'r alwad olaf.
"Paid â thrio siarad rŵan.
Ti 'di siarad digon."
A'i mab yn mwytho
croen ei braich.
Hen ddealltwriaeth a chariad.

Edrycha ar ei dwylo,
y dwylo hynny a fu'n rhoi.
Dwylo a weithiodd i weinidogion
ac ar organ,
ac â bwyd yn festri Salem.
Un a gadwodd ei thŷ yn lân
a'i theulu dan ofal sicr
ac a gyfrannodd at Gymdeithas
ac at Chwiorydd,
a helpodd yn ei hoes
lle roedd ei hangen.

Dim siarad heddiw,
dim ond edrychiad fry i fro arall,
edrychiad unionsyth
yn union fel y bu hithau ar lwybrau'r blynyddoedd
â'i sylwadau, a'i manylder;
yn wynebu'r byd nesa
â hyder
fel petai rhai cyfarwydd
yn dod i'w chwrdd.

Roedd ei gweithredoedd yn siarad cyfrolau.

Rhoi.

Rhoi gormod.
Cinio ar blât,
bara i fynd,
darn arall o gacen,
a digonedd o de bob amser.
Roedd croeso rhif 66 yn ddiarhebol.

Ond yn Nheyrnas y Brenin Mawr
ni ellir rhoi gormod,
a phob rhoi yn rhoi iddo Fo.
Ac yn y byd sy'n gyndyn i roi dim
y bobl hyn yw halen y ddaear,
yn rhoi blas i'n byw,
a'r bwlch ar ôl iddynt gilio mor fawr.

Dim siarad heddiw, Mair,
a thithau'n mynd
at y Brenin Mawr nad yw byth yn cysgu.

Hen Gantores

Cnoc ar y ffenest –
mae hi'n amlwg yn cael hogiau'n
cnocio.

Mae hi'n hwyr,
a'i hosgo corff wrth y drws
yn dweud nad oes croeso i ddod i mewn heno,
dim ond gadael *Rhaglen y Dydd* yr Eisteddfod,
ond mae croeso yng ngwên
a choflaid
yr hen gantores.

Cyn sylwi arnaf drwy'r ffenestr
sgwrsia'n angerddol ar y ffôn,
cyn ei ollwng
a dod yn ôl i'w byd hi ei hun a'r ci bach,
a theledu'r Sioe Fawr.

Mae'r archfarchnad yn handi
ar draws y ffordd iddi,
yn gwerthu nwyddau Cymreig blasus
fel rhai cartref yn y Ffridd.

Yna try'r sgwrs at y recordiad,
cyn i Recordiau'r Dryw chwalu.
Y gantores sy'n dal i chwilio am ganeuon,
'Fe'th gerais di o bell',
yn ffoli ar Robat Arwyn,
ei chalon fawr, fregus
wastad wedi bod yn ei chân.

Dim bowio ar ddiwedd cynyrchiadau
bellach.
Mae'n ddigon bodlon efo'i chi bach
yng nghrud ei breichiau;
dim blodau na llawryfon prifwyl.

Edrycha allan drwy'r ffenestr fawr
ar oleuadau di-hid y dref.
Ond daw ambell wyneb i'r ffenestr
er y bu'n rhaid iddi gau'r llenni'n gynt
oherwydd y plant drwg lleol.

Y gantores bellach wedi llithro i'r arfer
o gadw ffrindiau ar stepen y drws,
ac ambell dro daw wyneb y plentyn
nas cafodd
i lenwi'r ffenestr.
Geneth fach wallt golau yn gwenu.

Ond gwthir y rhain allan yn dyner
gan bwysau'r caredigrwydd tawel,
dyna a wnaeth y gantores ar hyd ei hoes
wrth rannu ei dawn,
gweld sbarc bywiol mewn eraill.

Dyna pam y gall fod yn fodlon
yn edrych yn unionsyth
drwy ffenestr y nos
gydag atgof, hiraeth a bodlonrwydd
yn nisgleirdeb lleithder cynnes ei llygaid,
a dim ond y cysgod lleiaf o unigrwydd
fel colur sgleiniog hen berfformiadau.

Garej Pen Draw'r Lôn

Y garej lle daw pawb yn y diwedd,
efo cwestiynau bach di-lun
am fylbiau neu fatris,
y garej ar ben draw'r lôn
sydd wedi dysgu doethineb
wrth gamu'n ôl o'r drafford chwim.

Lle daw creaduriaid di-glem fel fi
am oleuni ar fater,
heb ein llawlyfrau
i fegera am friwsion o ddoethineb
o fwrdd y rhai sy'n honni gwybod.

Garej fach fel hon
sy'n ailsgwennu'r sgript bob dydd,
weithiau'n agor ar amser,
dro arall yn hwyr,
wedi'i chuddio rhag ras y byd,
gymaint felly fel y gobeithiant yno
na fydd gormod yn dod atynt,
eu bod nhw'n cael eu gadael yn llonydd
yn eu congl fach nhw o'r byd,
i grafu byw
a sgwennu sgript bob dydd
yn ôl y galw.

Pobl fel hen bympiau segur
a adawyd i rydu'n llachar yn yr haul,
wrth ddal i edrych
fel petaent yn cynnig gwasanaeth
ym mhen draw lonydd byd.
Y rhai, efallai, ar ôl y disgwyl,

na allant wneud y gwaith
ac sydd heb hidio ychwaith.

Ond yma y deuwn oll â'n gofalon ryw ddydd,
ar un o'r dyddiau pan nad oes hyd yn oed
gerbyd gennym;
ar y terfyn yng ngarej pen draw pob lôn.

Parc Hen Faniau

Hen faniau segur
yn cyrraedd pen eu taith yn reddfol,
fel y pethau na allwn eu hwynebu mwyach.
Gwyddant pan fyddant yn barod i ddod yma
i'r parc faniau ail a thrydedd law,
wedi i'r holl fargeinio dawelu.
Rhydant yn gignoeth yma,
a chael eu gadael.

Hen faniau blêr yn y pant
fel blerwch ein trin ar ein gilydd
yn y byd a elwir yn wareiddiedig.
Emosiynau a adawyd yma
ar eu hanner,
heb roi olew yn eli dealltwriaeth,
ym mhant y faniau sy'n gwerthu am gildwrn.

Holl ofnau wynebu cyfrifoldeb
a sylweddoli caredigrwydd a wrthodwyd,
yn cael eu hildio yma i rydu.

Faniau wedi gweld dyddiau gwell
ond rhai a allai ddal i'n hebrwng o heddiw i yfory,
gydag ychydig o hwb i'r batri,
ond heb awydd cychwyn o gwbl.

Faniau nad oes gwerthu arnynt
hyd nes y daw rhywun â breuddwydion anghyraeddadwy
yn ei lygaid eto
i aildanio dyhead,
a chyfeirio'r llyw at hen lôn.

Twyni Pennard

Trwy ddrysfa twyni Pennard i gyd
efo ti,
drwy'r tywod gwlyb yn y glaw
i'r castell lle nad oedd golygfa ohono
y dydd hwnnw.

Ond heddiw fy hunan o lwybr cadarnach y clogwyn
gwelaf y ddrysfa y bu'n rhaid i ni ei hwynebu
i gadw'n cyfeillgarwch,
ac fel y mae'r olygfa yn edrych yn wahanol iawn
yn yr haul tanbaid.

Diolchaf
i ni fedru goroesi'r llwybrau gwael a'r tywod meddal,
yr hen swnd 'na yn yr esgidiau.

Triais gynt gael llun da yn y glaw.
Bellach mae'r llun yn y galon,
wedi'i naddu yno
fel y daith drwy'r drysni ar dwyni Pennard.

Pobman ond Talacre

Fedra i gefnu
ar yr ardaloedd eraill i gyd,
ond ddim Talacre.

Wna i adael Talacre
i'r mwynder rhwng dau,
i gynhesrwydd atgof;
gadael i'r gwynt chwythu yn y twyni,
gadael i oleuadau Lerpwl sgleinio addewid
ar y gorwel
wrth i'r haul ffarwelio
heibio i'r Gogarth pell.

Gadael i'r goleudy wincio arna i'n glên.

Gadael i'r tywod oglais
olion hen gwch
a fu'n addewid o froc môr gwell na hyn,
yn nyddiau ffôl
y gobeithio.

Ticio Bocsys

Yn ei waith mae'n ddeddfol
yn gorfod ticio'r bocsys i gyd
efo pob manion o betheuach,
a phob blewyn yn ei le.
Rheol rhif un yn ei waith
ydy byth i ymddiheuro.
Dyna sut y cyrhaeddodd
yr aruchel safle
lle medrai wneud y lleiaf posib.

Ond yn ei gariad ato fo,
mae amryw o'r bocsys
heb eu ticio.
Efo fo mae o'n ymddiheuro am bob brifo lleiaf.
Y cyntaf i ddod i mewn i'w fyd o
a allai weld y tu hwnt i'r siwtiau drudfawr,
a dal i fwynhau'r olygfa.

Mewn cariad mae 'na lot o'r bocsys
heb eu ticio,
y corneli 'na o bersonoliaeth y llall
sy'n brifo,
Y creulondeb a'r chwerwder a all frigo
i'r wyneb
yn ddiwahoddiad.
ym mhwysau byw beunyddiol.

Er bod yn rhaid dal i gofnodi'r holl gyfarfodydd
a defnyddio trefnusrwydd fel arf,
efo fo mae'r sgript yn fyrfyfyr.

I ŵr y ticio bocsys
fe ddigwyddodd rhywbeth
i'w gynllun datblygu hirdymor
y diwrnod y cerddodd o i mewn i'r swyddfa,
a chwalu'r targedau i gyd.

Nadolig y Cardiau

Yr adeg hon o'r flwyddyn
wrth sgwennu'r cardiau,
rwyt am funud yn cysidro
nad yw pobl ddim yn cysylltu mwyach.

Yr adeg hon o'r flwyddyn
wrth sgwennu'r cardiau
rwyt ti'n ystyried
pam mae cyfeillgarwch
yn dieithrio ac yn oeri,
a dy fod yn dal i yrru cardiau
na fydd ateb iddynt yn dragywydd.

Ar adegau fel hyn
rwyt ti'n galaru
fod Gŵyl y Geni wedi troi mor siabi
ac mor wag o oleuni,
bod pobl yn chwarae â'u cyd-ddyn
fel teganau rhad.

Ar adegau fel hyn
rwyt ti'n pitïo
nad yw pethau fel yr oedden nhw
yn niniweidrwydd hen ddelweddau
a melyster y caneuon.

Ond yna, wrth ddal i sgwennu'r cardiau
bob blwyddyn, mwy ohonynt,
maent fel negeseuon hardd
i fyd sydd wedi troi cefn;
ac mae'n well gen i eu gyrru nhw
gan fod y cynnig wedi'i wneud wedyn
i ailgydio yn y llatai annwyl hwnnw o gariad
a gynigiwyd i ni
un Nadolig.

Sbotleit Llandaf

(*Goleuo newydd ar gerflun* Crist mewn Gogoniant, *Epstein*)

Maen nhw wedi deall rŵan
fod angen lliw a llifolau
i wneud cyfiawnder â Thi,
i roi hwb i salm
a datganiad organ,
taflu dipyn o oleuni ar benbleth d'Aberth.
I'n rhoi ni mewn goleuni gwahanol.

Technoleg wedi gweithio
o dy blaid, Awdur Technoleg,
a chopïau'r salm yn fflicio'n dryloyw ar yr organ.
Fel cresiendo olaf y datganiad
daeth goleuni
i rwygo llen
ac ysgwyd seiliau.

Yn awr y machlud heno,
gwawr newydd yn y llif olau.

Cath 'Parc a Reid' Caer

Daw draw o rywle ar y gororau
i'r Parc a Reid
am laeth a chynhaliaeth dymhorol.
Ac yno drwy'r dyddiau oerion
fe gaiff fwythau a gwenau gan bawb.

Mae hyd yn oed yn peri i'r gwarchodwr wenu
y tu ôl i'w wydrau cyndyn arferol,
ac yn goglais ynddo hiwmor
yn lle syllu syn.
"*I've trained it. It's a killer.*"
Ond neb yn gwrando.

Gwylia'r gath bawb yn mynd ar y bws,
cyn ei rhwbio ei hunan yn addewid y criw nesaf,
esgor ar wên a mwynder
a chwerthin a chynhesrwydd
yn y gwaelaf o fannau aros ar y ffin.

Fel Cadeirydd Llety a Chroeso holl arosfannau'r byd,
ymestyn ei gwddf am fwythau,
anwylo gŵr busnes
ar ganol sgwrs ddwys ar ffôn symudol,
a chadw gwyliadwriaeth.

Cath y Parc a Reid
yn dyneiddio roboteiddiwch amserlenni arferol,
fel rhywbeth tebyg i'r Nadolig.

Llwybr Arall

(*Bob blwyddyn dilynir camelod i wasanaeth yn Eglwys San Silin, Wrecsam, mewn llawnder a llawenydd*)

Torfeydd di-ri
yn dilyn y camelod a'r asyn
yn llif rhwydd at y Crud.
Pawb isio gweld Baban
a thyrru heibio i Smith's
i eglwys lawn.

Ac ar ôl y gorfoleddu
Mair a Joseff
yn mynd i Thorntons,
a neb yn gwarchod y camelod,
na'r stabl na'r baban.

Maent hwy eisoes wedi dechrau
ar lwybr arall,
anorfod a rhynllyd,
o'r tywyllwch ger y llan.

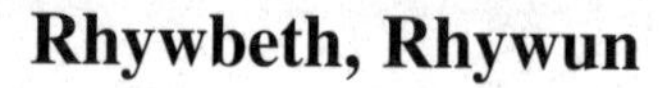

Rhywbeth, Rhywun

(Ysgol Glan Clwyd yn canu yng Nghadeirlan Llanelwy)

Rhywbeth am yr anferthedd
sy'n ein bychanu.
Er yr hwyl cyn y canu,
rhywbeth yn ein tawelu yma.

Er mai dim ond diwrnod arferol efo'r côr ydy o,
mae 'na rywbeth yn wahanol
yn y gadeirlan,
rhywbeth sy'n ein tawelu a'n codi.

Er bod crysau'n dal allan o drowsusau,
gwalltiau gwahanol yn hawlio sylw,
a rhai heb gofio'r siwmperi sy'n gweddu,
mae rhywbeth yn wahanol
mewn cyngerdd yma,

pan wynebwn anferthedd y gadeirlan,
a gwybod, efo'n lleisiau unigol yn codi yn y gwagle,
fod Rhywun arall yn y gynulleidfa.

Elyrch Penmorfa cyn y Nadolig

Mae 'na bellter ym Mhenmorfa,
mor wahanol i brysurdeb San Siôr ac Imperial.
Camwn yn ôl at gysur y gwagle.
Ar unrhyw noson wyntog
'maen nhw yno.

Elyrch Penmorfa yng ngolau'r lloer,
ddim awydd gwasgaru heno,
yn synhwyro pob symudiad gen i ar y lan,
cyn penderfynu nad oes gen i fwyd iddynt.

Ond rywsut yn sylweddoli 'mod i angen eu cwmni heno.

Glynu efo mi wna'r elyrch gwyn,
hwythau'n chwarae hel ac ymgecru,
eu gwynder yn sgleinio yn ein nos.

Neidr yr A55 yn fwclis y tu ôl iddynt,
bydd raid wynebu'r daith yn ôl cyn hir.
Elyrch tawel Penmorfa ym mrath lloer olau Tachwedd
yn cadw fy nghyfrinach.

Ac yna o lan arall y llyn
daw danteithion cyfarwydd iddynt
o'r bag gwyn
a deallant mai dyma eu gwobr nosweithiol
am aros yn y tywyllwch.

A daw angylion o bobl hefyd
i'n bwydo ni yn ein nos.
Angylion â'u bryd ar roi
heb ddisgwyl dim yn ôl.

Do They Know it's Christmas Time at all?

"*Do they know it's Christmas time at all*?"
yn gyfeiliant i'n prynu a'n rhestrau
a'n dyhead iddo i gyd fod yn fwy syml,

"*The greatest gift they'll get this year is life . . .*"
yn dyrnu i'n ciwio
a'n hymgais i gael gŵyl berffaith, drefnus eleni,
popeth o hyd braich
er mwyn i ni fwynhau.

"*Where nothing ever grows,
no rain or river flows . . .*"

Taflwn nwyddau i'n coetsys.
Golwyth bach arall o borc
rhag ofn,
te a chaws gorau'n
bownsian i mewn i'r troliau.
Gwenwn yr hen wên gyfarwydd,
edrychwn i'r llawr.

"*Feed the world . . .*"
Llanwn y troliau,
"*Do they know it's Christmas time at all*?"

Taflwn i mewn y moethau.

Daw’r Nadolig

Mae rhywun yn straffaglu
efo coeden Nadolig blastig, flonegog
i’n llonni.
Mae cario corn y seindorf
yn boen yn yr oerfel,
ond rywsut cyneuir hen alawon
yn eira’r Stryd Fawr.
Bydd rhai yn hebrwng celyn
ar fysiau cyhoeddus,
yn pigo cydwybod teithwyr
heb yn wybod iddynt.

A daw ambell garol
o gornel rhyw hen gwrt,
neu gyd-weithiwr annwyl
o ganol y dorf ddiwynebau
i ddymuno gŵyl lawen o’r galon.

A neges gan gyn-ddisgybl
ar decst neu Facebook
yn oriau mân y bore gwyn,
i’n hargyhoeddi
bod Cariad yn dal yn fyw.

Ac er ei bod hi’n ffair wag ar noswyl Nadolig
a’r sioe i gyd yn datgymalu,
mae ’na garol ar ei newydd wedd,
a seren yn y nen
ac addewid ym mhosibiliadau yfory.

Cracyr

Hogyn bach annwyl â'i anrheg cracyr
am ddweud fy ffortiwn efo stribed
o blastig tila ar siâp pysgodyn.
"Rwyt ti'n mynd i . . . farw.
Mae'r gynffon wedi cyrlio."

Doedd hi ddim yn amser i'r diniweidrwydd llygadrwth
gael clywed fod honno'n groesffordd
i bawb ohonom.

Chwerddais.
"Wel . . . am newyddion mewn cracyr Nadolig!"
Gwenodd yntau.

Heb deimlo ergyd y gracyr honno eto.

Cavern Walk adeg y Nadolig

(*Gerllaw cofeb y Beatles yn Lerpwl*)

Caneuon y saithdegau
ar gryno-ddisg
sy'n glynu mewn ofn
bob hyn a hyn,
yn diasbedain
fel hen chwedlau.

Pobl ar bob lefel
yn presanta,
rhuthro,
a phrynu rhywbeth
i bawb â digonedd
yn barod.

Dynion Diogelwch
yn gwarchod y lle yn ofalus
fel pe bai cyfrinach ar ôl,
a'r cerflun o'r pedwar yn ei sibrwd:
'All you need is Love'.

Pennant Melangell Noswyl Nadolig

Ar yr adegau pan mai dim ond ti
sy'n cofio Ei Ddyfod,
ac am sawru Ei Dangnefedd
nes y bydd yn rhaid dychwelyd,
mae'n heneidiau yn anesmwyth
heb orffwyso ynot Ti.

Dail yr hydre'n dal i grensian
a moelni hyd y bryniau,
fel moelni'r gwir neges.

Ar yr adegau pan mai dim ond
y ffordd gul i ben draw'r cwm
a wnaiff y tro,
i dystio i'r pethau sydd uwchlaw
anrhegion a heip.
Yr Un sydd yno i chi yn eich nos
a'n hofnau i gyd yn gorffwys arno.
Diosg yr holl ddelweddau,
a'th wynebu Di,
yr Un nad yw byth yn cyhuddo, dim ond derbyn.

Mynd noswyl Nadolig,
mynd heb ddim o'r trimins,
heb yr ystyriaethau presantau
a chardiau nas gyrrwyd,
mynd
i ben draw'r cwm
at y Grym
sy'n ein gyrru, ac yn aros yno.

Mynd yno
fel gwŷr doeth yn gadael eu moeth,
a bugeiliaid yn dysgu peidio ag ofni,
a gwrando yn y tawelwch
am arwydd
fel cân angylion.

Liw Nos

Arwydd ynghanol rhuthr y Nadolig:
'*Y draffordd ar gau liw nos.*'

Diolch i'r cyfieithydd tymhorol
am gofio hen dinc iaith ynom,
a rhyw ryfeddod a drigai ynom unwaith.

Cofiwn am eraill 'liw nos'
yn eu meysydd
a wrandawodd ar neges yr angylion
am ogoniant,
ac am beidio ag ofni,
ynghanol gofalon corlannu'r defaid.

'*Y draffordd ar gau liw nos*',
hen gyffordd ar gau ym meddyliau newyddoes,
ac eto ei harlliw yn arllwys
heno dros arwyddion chwim ein byd
fel siffrwd adenydd angylion.

Ar Daith

(*Goleuadau Nadolig dinas Lerpwl*)

Blwyddyn newydd ar ddod,
dathliadau gŵyl wedi'u cynnal a'u 'sgubo ymaith
ond y tri gŵr doeth
yn dal ar eu taith liwgar dros y stryd fawr.

Coron sy'n hongian fry.

Bold Street yn ddilyniant o sêr
a'r siopau am unwaith wedi cau,
wrth i bawb barselu'r Nadolig yn ôl i'w gornel
tan y flwyddyn nesaf.
Cynigir seren i'w dilyn oddi yma.

Sêr at bob dychymyg a chwaeth
yn balmant aur
yn y ddinas gynnes hon
lle mae'r *Catholic Multimedia*
drws nesa i'r 'nicers a staes arbenigol'
lle mae merch ifanc wrth y gadeirlan
yn cynnig ei chorff ar gornel stryd heno.

Bar McCartney
ar noson hamddenol arall
yn ymbaratoi.
Y sêr yn amryliw hyd fynedfa Chinatown
a'r curiad wedi'i dawelu'n llwyr
yn Virgin Mega Stôr.

Plygain ym Mhennant

Plygain nos Ystwyll ym Mhennant Melangell,
lle mae llond eglwys yn dal i ganlyn y Seren
hyd ddiwedd ei thaith
heno.

Noson oer a'r gloch yn cymell,
canhwyllau'n goglais yr hen garolau,
yn naturioldeb y datganiadau.
"Mac 'na awyrgylch o dan y sgrin ym Mhennant,
a lwmp yn dod i 'ngwddw wrth ganu
carolau Plygain Taid.
Mae'n iawn wrth eu dewis y noson cynt,
ond ar y noson ei hun,
wel, mae 'na emosiwn yn y llais."

Yna'r swper ac uwch mân siarad am wychder y canu
a chanmol y baned, plygeiniwr ifanc
wedi cyrraedd pen taith.
"Dwi'n meddwl mai ym Mhennant 'ma dwi isio
    'nghladdu,"
a sglein anghyffredin yn ei lygaid
a'i law ar gefn ei dad oedrannus.
"Ia," meddai'r plygeiniwr ifanc
o ganol cymhlethdod byw,
"Fan hyn ga' i 'nghladdu."

Canhwyllau mewn jariau
yn goleuo'r llwybr ym Mhennant heno,
yn gwrthod diffodd.

Tŷ Renoir

(*adeg y flwyddyn newydd, nid nepell o Nice*)

Heno mae digon o ddymuniadau i'w pysgota
o aeaf tyner Bae'r Angylion.

Renoir yn nyddiau Cagnes sur Mer.
Sylla arnom yn daer
ar y fideo o'i weithdy,
lle, yn fethedig,
y daliodd i greu
a chael cwmni ifanc,
eu tanio a'u hysbrydoli
a syllu ar wyrthiau Baie des Anges.

Hyn yn y tŷ wedi'i amgylchynu gan goed olewydd
Jardin de Colette.

Byd wedi'i grisialu,
fel petai amser, sy'n prysur ddiflannu,
wedi simsanu yma;
wedi'i eithrio rhag y newyddoes dyrog islaw,
a'i hangylion cyfoes o awyrennau
yn glanio'r nos.

Pery ysbryd Renoir yn y tŷ,
yn lluniau byw ar furiau agored,
hen siaced a mantell ac ôl paent arnynt.

Tua'r Diwedd

Pan ddaeth hi'n fater o ddod
at y groesffordd go iawn,
o wynebu angau yn unionsyth,
disgynnodd yr holl bethau 'gwneud'
fesul un.
A'r tu ôl i'r llen,
y teimladrwydd mawr yr ymhoffodd hi ynddo,
ac y deallodd hi ei ddyfnder.

Gwelodd ei gadernid yn dysgu siarad eto,
a chyfrannodd hithau'n dawel at ei iaith wedi'r strôc.

Yr haf olaf yn y garafán yn Llangollen,
aed drwy'r symudiadau arferol
fel pe bai pob haf yn fythol,
a thensiwn tyn eu hadnabyddiaeth
fel taflu'r wialen bysgota i'r dŵr.

Y smalio caredig hwn
lle y parhaodd yntau
i ddal pysgod olaf ei ddyhead
o'r gamlas ddofn.

Dyffryn Ogwen

Pan fydd eira yn Nyffryn Ogwen
cyn y Pasg,
a'r haul yn disgleirio arno'n llwyr.
cyn i'r gwanwyn wir gynhesu;
pan fydd Llyn Ogwen
fel llain sglefrio,
a'i nentydd oll yn rhwym,
wrth gofio'r un daith honno efo ti,
daw'r dadmer bob tro i'm hiraeth i.

Pan fydd yr eithin yn blodeuo'n ddiniwed,
a'r awyr yn las olau
ond ias ar y gwynt, a'r eira'n dal ar gopaon,
wrth gofio'r un daith honno efo ti,
daw'r dadmer bob tro i'm chwithdod i.

Tithau wedi mynd ar daith bell ers hynny,
cofio'r daith ofalus hyd iâ'r heolydd,
a'r wybren mor las olau.

Minnau heb 'nabod brath hiraeth bryd hynny.

Cadw'r Syniad ohonot Ti'n Fyw

Mae 'na oerni yn y môr heddiw,
a dreiddia y tu hwnt i'n gofalon
at y mêr.

Ond dwi wedi cadw atat Ti,
at y syniad cynnes, annwyl hwn
yn fy nghalon i,
wedi cadw ato
drwy'r rhuthr o ddadbarselu dy holl gyfrinach.

Wedi dy feithrin
a chyd-fyw drwy'r gaeafau.

Gan obeithio eto eleni,
y caiff cynhesrwydd parsel dy ras
ymagor ynof
fel petalau fflur ceirios
yn diniwed groesawu'r gwanwyn.